The Prime Minister at the end of the century
Prime Minister
1
Eiki EIKI

EIKI EIKI presents

Prime Minister

ICH FAND IMMER, DIESES LAND WÄRE VIEL ZU FRIEDLICH UND LANGWEILIG...
世紀末
プライム
ミニスター
ACT
1
SEIKIMATSU ★ PRIME MINISTER

at the end of the century ★ The Prime Minister at the end of the century ★ The Prime Minister
Prime Minister
ACT
1
SEIKIMATSU ★ PRIME MINISTER

... BIS
ICH IHM
BEGEGNET
BIN...

AUF-WACHEN, MINORI!
DU KOMMST ZU SPÄT !!
HEY, MINORI !!
STEH ENDLICH AUF!!
ガチャッ
UUUH ...
BIN ICH MÜDE ...!
EIN TAG IST WIE DER ANDERE. ES IST IMMER DER GLEICHE TROTT.
MNJAAA...
ICH HAB GESTERN NACHT ZU LANGE GE-DADDELT ...

MEIN NAME IST MINORI NAGASHIMA. ICH BIN SECHZEHN JAHRE ALT...
HM ...
... UND IM ERSTEN JAHRGANG DER OBER-STUFE.
WILLST DU NICHT FRÜH-STÜCKEN, MINORI?
ばたばた
NEIN DANKE.

Meine Damen und Herren...
Dies ist ein großer Tag. Heute wird unser neuer Premier-minister gewählt...
OOOH!
EIN NEUER PREMIER-MINISTER... UND WENN SCHON!
PFFF ...
FÜR MICH ÄNDERT DAS GAR NICHTS!

BIS SPÄTER!
...
WOW! WAS FÜR EIN WETTER ...!
ICH WAR EINE GANZ NORMALE OBERSCHÜLERIN, DIE NICHTS WEITER VOM LEBEN VERLANGTE, ALS AB UND ZU EIN BISSCHEN HERZKLOPFEN.
JA...

ICH GLAUBE, HEUTE MACHE ICH BLAU! ♡
BIS ZU DIESEM TAG...

WAS?! KANATA-SAN IST VER-SCHWUNDEN ?!

JA... ER HAT DIESEN BRIEF HINTER-LASSEN.
ぷるぷる
遊んでくる。*
WAS HAT ER SICH DABEI GEDACHT ...?!
ばっ
AUSGE-RECHNET HEUTE!!
ICH WERDE IHN SUCHEN.
VIEL GLÜCK ...!
ICH GLAUBE, ICH WEISS, WO ER SICH ...
... AMÜ-SIEREN WILL!!
かっ
かっ
かっ

* ICH GEH MICH AMÜSIEREN.

HM
BLAUMACHEN IST NICHT SCHLECHT, ABER WAS SOLL ICH JETZT TUN ...?
AM BESTEN GEHE ICH ZUERST INS GAME-CENTER.
AAAH ...
HM?

MIST! SCHON WIEDER VERLOREN!
VER-DAMMT!
DAS WIEVIELTE MAL WAR DAS...?
PROBIER DU'S DOCH, WENN DU'S BESSER KANNST!
NEE, DA HAB ICH KEINE CHANCE!
ICH VER-SUCH'S!!
EIN MÄDCHEN ...?
VERGISS ES! DAS SCHAFFST DU NICHT!
VON GAMES VERSTEH ICH MEHR, ALS IHR DENKT.
ニヤリ。

YOU WIN !!

おおっ
GE-WON-NEN!!
VERDAMMT! WER WAGT ES, MICH ZU BESIEGEN?!
HÄ ?!
WIE... WAR DAS ?!

VERDAMMT ...!
KYAAAAAH !!
WAS IST DENN MIT DEM LOS?!

Du ...
Du hast mich besiegt ...?
J-ja, wieso?
Hmmm ...
?!
A-also dann, i-ich muss jetzt gehen!!
Warte !!
Kyaaah! Was denn noch?
Du ...
Hä?

KYAAAAAH!!

WA... WAS TUST DU DAAA...?!
WOW ...!
DU HAST DAS PERFEKTE HAAR!!
ぱっ

HÄ?
HAAR?
DIESE HERR-LICHEN NATUR-LOCKEN! ♡
SIE SIND GANZ WEICH! ♡
JIPP!
...
UND DIESER ANGENEHME DUFT NACH SHAMPOO!!

IN DEINEM FALL WERDE ICH DARÜBER HINWEGSEHEN, DASS DU KÖRPERLICH ETWAS UNTERENTWICKELT BIST!!
ICH MACHE DICH ZU MEINER BRAUT!!
ぽん!!
WAAAS ...?!

NACHDEM DAS GEKLÄRT IST, SOLLTEN WIR SCHLEUNIGST GEHEN!!
MO... MOMENT MAL, WO GEHEN WIR HIN ?!
ざわ ざわ
WAS IST DA LOS?
ずか ずか

WOHIN ...?
ENDLICH HAB ICH DICH GEFUNDEN, KANATA-SAN!!

OH.
SAI!!
WAS TUST DU HIER? ICH HAB DICH ÜBERALL GESUCHT!!
HAST DU VERGESSEN, WAS HEUTE FÜR EIN TAG IST?!
HAB ICH NICHT.
ACH, LASS MICH DOCH IN RUHE!
DAS WAR VERMUTLICH DAS LETZTE MAL, DASS ICH EINFACH SO...
... IN EIN GAME-CENTER GEHEN KONNTE!
HM ...
DA HAST DU RECHT.
ABER MAL WAS ANDERES, SAI...!!
ICH HABE MEINE BRAUT GEFUNDEN!
BRAUT ?!
JA, SIEH SIE DIR AN...!

NANU ...?
VER-SCHWUN-DEN!
NA, WO IST DEINE BRAUT?!
DAS WAR GANZ SCHÖN GEFÄHRLICH!!
FAST HÄTTE MICH DIESER PER-VERSE ABGE-SCHLEPPT.
WAS HATTE DER FÜR EIN PRO-BLEM?!
?!

WAS HABEN WIR DENN DA?!
EINE HÜBSCHE JUNGE DAME!
KOMMST DU FREI-WILLIG MIT ODER WILLST DU INS KRANKEN-HAUS?!
KYAAAAAAH!
NICHT SCHON WIEDER ...!
HABEN HEUTE ALLE PERVERSEN AUSLAUF ?!

IST SIE NICHT NOCH ETWAS ZU JUNG?
WIESO? ICH STEH AUF SO JUNGE DINGER.
LA... LASS MICH LOS !!
LOS LASSEN, SAG ICH!
AUA!
VER-DAMMT, BLEIB STEHEN !!
SCH... SCHNELL WEG!!

DA BIST DU JA!!
AH!!
OH NEIIIN ...!
JETZT STECK ICH IN DER KLEMME!
HM?

WAS FÄLLT EUCH EIN?!
LASST EURE DRECKIGEN FINGER VON MEINER BRAUT!
WAS?
ICH BIN NICHT DEINE BRAUT!
UWAH!
DIE SCHLAMPE HAT MICH GEBISSEN!
ALSO GEHÖRT SIE MIR, KAPIERT?!
DU HAST MIR ......
... GAR NICHTS ZU SAGEN!!
ICH MACH DICH FERTIG!!
!
ARGH!!

AAAH ...
HOFFENTLICH MACHEN SIE SICH GEGEN-SEITIG FERTIG!
ふみっ
HA, HA, HA!!
MEHR HABT IHR NICHT DRAUF ?!
WAS?! DAS GING ABER SCHNELL!
ふみっ
ふみっ
ER MUSS ...
... VER-DAMMT STARK SEIN!!
HILFE!

SOOO ...
W-WER BIST DU?!
UND WIESO NENNST DU MICH DEINE BRAUT ...?!
ACH JA...
ENTSCHULDIGE...!

ICH BIN KANATA OKAZAKI.
SCHON BALD WERDE ICH DER MÄCHTIGSTE MANN JAPANS SEIN.
DU KANNST DICH GLÜCKLICH SCHÄTZEN, DASS ICH MICH IN DICH VERLIEBT HABE!
ER HAT EIN GESUNDES SELBSTVERTRAUEN...
HIER IST MEINE KARTE!
KARTE ?!
KANATA-SAN!!
SAI!
WIR DÜRFEN KEINE ZEIT VERLIEREN. DU KOMMST JETZT AUF DER STELLE MIT!!
DU SCHON WIEDER!
ELENDIGER RUMTREIBER!

PAH!
NA SCHÖN.
HEY, DU!!
J...
JA?

!!

GLAUB MIR...!
ICH WERDE DICH ZUR FIRST LADY JAPANS MACHEN!
WAS...?
MUSST DU DAUERND ABHAUEN ?!
REG DICH NICHT SO AUF!
...
FÜR WEN HÄLT SICH DIESER TYP?!
ER HAT MIR MEINEN ERSTEN KUSS GERAUBT !!

ICH BIN WIEDER DA!
NANU!? DU BIST HEUTE ABER FRÜH DRAN ...
TJA ...
よろ...
OH MANN, BIN ICH MÜDE ...!
DA HÄTTE ICH GENAUSO GUT ZUR SCHULE GEHEN KÖNNEN ...
Meine Damen und Herren, die Nachrichten ...
AH!
TROTZDEM ...
WER WAR DIESER KERL...?
Das Parlament hat heute in geheimer Abstimmung den neuen Premierminister gewählt!!

ぱっ
Wie wir soeben erfahren haben ...
... wurde der erst 25 Jahre alte Kanata Okazaki in das höchste Amt des Landes berufen!!
Eine Sensation!! Der jüngste Premierminister in der Geschichte unseres Landes !!
Kanata Okazaki (25), Mitglied des Unterhauses

HÄ?
MINORI

HÄ...?
衆議院議員
岡崎彼方
* MITGLIED DES UNTERHAUSES
** KANATA OKAZAKI

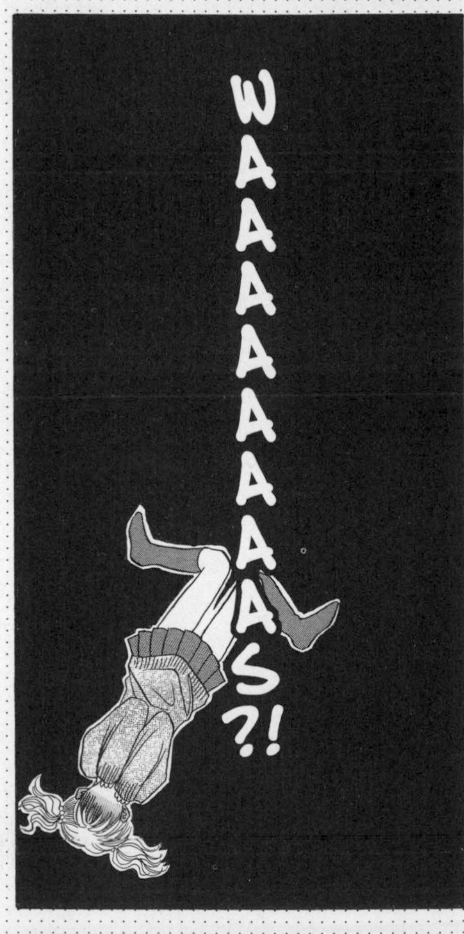
WAAAAAAAAS?!

ALSO DANN, BIS SPÄTER!

VOR LAUTER AUFREGUNG ...
... HABE ICH LETZTE NACHT KEIN AUGE ZUGETAN.
PUH, IST DAS HELL!
ABER ER WEISS ...
... WEDER MEINEN NAMEN NOCH, WO ICH WOHNE.

ICH WERDE IHN VERMUTLICH NIE WIEDER SEHEN!!
HM?
GUTEN MORGEN, HATSUMI-CHAN! WAS IST HIER LOS?
AH, MINORI-CHAN!!

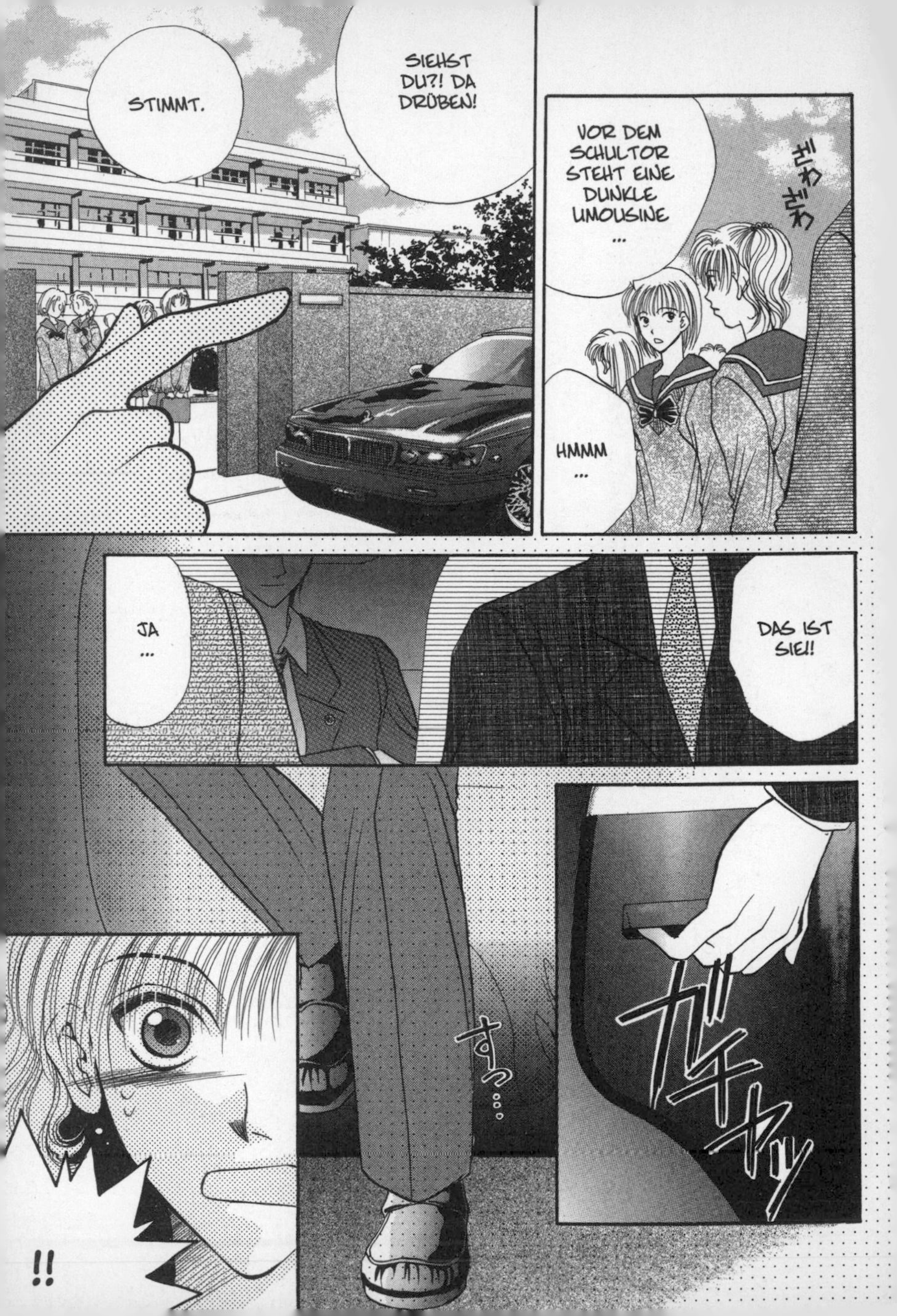

VOR DEM SCHULTOR STEHT EINE DUNKLE LIMOUSINE ...
ざわ ざわ
HMMM ...
SIEHST DU?! DA DRÜBEN!
STIMMT.
DAS IST SIE!!
JA ...
ガチャッ
すっ…
!!

HI...!
ICH WUSSTE, DASS DU HIER ZUR SCHULE GEHST.
!!
DAS IST DOCH DER NEUE PREMIER-MINISTER!

ER HAT DIE SCHUL UNIFORM ERKANNT ...!!
D...
DU...?!
WENN ICH HEUTE DARAN ZURÜCK-DENKE...

...!
ICH BIN GEKOMMEN, UM MEINE ...
... ZUKÜNFTIGE FIRST LADY ABZUHOLEN!
... DANN WAR DIES DER TAG, DER MEIN ÖDES LEBEN SCHLAGARTIG VERÄNDERTE.

ACT
2
SEIKIMATSU★PRIME MINISTER

ICH ÜBERPRÜFE JETZT DIE ANWESENHEIT.

TANABE-SAN?
JA.
TOTANI-SAN?
JA.
NAGASHIMA-SAN...
NANU?
HAT SICH MINORI NAGASHIMA KRANKGEMELDET?
ÄH, FRAU LEHRERIN ...

MINORI-CHAN WURDE VOM MINISTER-PRÄSIDENTEN ABGEHOLT ...
WAS...?!

NA, HÖR MAL!
WAS FÄLLT DIR EIGENTLICH EIN?!
WO BRINGST DU MICH HIN?!
DU KANNST MICH DOCH NICHT EINFACH ENTFÜHREN!
NANU ...?

HAST DU DIE NACHRICHTEN NICHT GE-SEHEN?
D-DOCH, HAB ICH.
DU WURDEST ZUM PREMIER-MINISTER ERNANNT!
STIMMT GENAU!!

UND ICH BIN GEKOMMEN, UM DICH AB-ZUHOLEN.
ICH HAB DOCH GESAGT, DASS ICH DICH ZUR FIRST LADY JAPANS MACHE!
SOLL DAS HEIS-SEN... DU WILLST MICH HEI-RATEN?!
JEPP.
RED KEINEN UNSINN! ICH BIN GERADE ERST SECHZEHN GEWORDEN!
MO... MOMENT MAL! WARTE !!
ぎゃん ぎゃん ぎゃん
OHNE DIE ERLAUBNIS MEINER ELTERN KANNST DU MICH NICHT HEIRATEN.
BRÜLL NICHT SO!!
DAS WEISS ICH AUCH.
ICH BIN SCHLIESSLICH POLITIKER.

AUS DIESEM GRUND WILL ICH JETZT MIT DIR ZU DEINEN ELTERN FAHREN, UM MICH VORZUSTELLEN UND UM DEINE HAND ANZUHALTEN!
OBWOHL ICH EIGENTLICH WICHTIGERES ZU TUN HÄTTE...!
WAS ...?!
DU MEINST... WIR FAHREN JETZT...
... ZU DIR NACH HAUSE! ♡
WAS ?!
DU KANNST DOCH NICHT EINFACH OHNE VOR-WARNUNG BEI MEINEN ELTERN AUFTAU-CHEN!!
DIE FALLEN IN OHNMACHT, WENN SIE HÖREN, WAS DU VORHAST !!
AH, WIR SIND DA.
HEEEY!!
HÖR MIR GE-FÄLLIGST ZU!

ABER ...
DAS KOMMT ETWAS ÜBERRASCHEND, ABER WIR FREUEN UNS SEHR! ♡
UND SIE WOLLEN WIRKLICH UNSERE TOCHTER HEIRATEN?!
が。
ん
ES IST ZU SCHÖN, UM WAHR ZU SEIN, FINDEST DU NICHT AUCH?! ♡
ICH HÄTTE NICHT IM TRAUM DARAN GEDACHT, DASS UNSERE MINORI EINMAL FIRST LADY WIRD.
HO, HO, HO, HO, HO, HO...
WA, HA, HA, HA, HA...
ICH WERDE ALLES TUN, UM SIE GLÜCKLICH ZU MACHEN.
MOMENT MAL! IHR KÖNNT DOCH NICHT EINFACH, OHNE MICH ZU FRAGEN, ÜBER MEIN LEBEN ENTSCHEIDEN!

HAST DU GEHÖRT, MUTTER ...?
WAHNSINN...! UNSERE MINORI IST EINE KLEINE CINDERELLA!
HO, HO, HO, HO, HO...
WAS SOLL ICH ZUR HOCHZEIT ANZIEHEN?
VATER ...
DAMIT SIND WIR AUCH IM ALTER GUT VERSORGT.
HA, HA, HA, HA...
MINORI IST EINE GUTE TOCHTER!
KOTA ...
WENN ICH GROSS BIN, WILL ICH AUCH MINISTER WERDEN!
EIN GUTER PLAN!
...!!
MINORIS
← JÜNGERER BRUDER
S-SIE SIND ALLE VON SEINER MACHT VÖLLIG GEBLENDET ...!!
WAS FÜR EIN OPPORTUNISTISCHER HAUFEN!!
GRINS

SO...
DAS EINVERSTÄNDNIS DEINER FAMILIE HABEN WIR!!
U-UND WENN SCHON!
KOMM MIR NICHT ZU NAHE!
ZEIT FÜR EIN BISSCHEN ZWEISAMKEIT, WAS MEINST DU, SCHATZ?! ♡
!!
MACHT'S GUT, IHR BEIDEN! ♡
HO, HO, HO...
GYAAAAAAH!
HELFT MIR, IHR SEID DOCH MEINE ELTERN!!

WIE KÖNNT IHR EUCH VON SEINEM STATUS DERART BLENDEN LASSEN?!
HI... HILFE ...!!
DER KERL IST EIN UNGEHEUER, DAS JUNGEN MÄDCHEN IHREN ERSTEN KUSS RAUBT!!
DA WÄREN WIR!
...
NA LOS, KOMM REIN!

ÄH... WO GENAU SIND WIR HIER?!
IN DER RESIDENZ DES PREMIER-MINISTERS.
DIES IST DAS BÜRO DES PREMIER-MINISTERS.
MEIN PRIVATES REFUGIUM.
HIER IST VIEL PLATZ...
ABER SOBALD ICH ES VERLASSE ...
ふーっ
... BIN ICH VON SEKRETÄREN UND SICHERHEITSLEUTEN UMGEBEN UND KANN MICH NICHT MEHR FREI BEWEGEN.
DAS IST HART!
...
WAAAH ...

DANN BIST DU... WIRKLICH DER PREMIER-MINISTER ...
HILFE...!
JETZT IST SIE AUCH VON SEINER MACHT GEBLENDET. (KICHER)
DAS SAG ICH DOCH DIE GANZE ZEIT.
GLAUB MIR EINFACH!
U-UND WIE KOMMT ES, DASS DU MIT 25 SCHON PREMIER-MINISTER BIST?
DAS IST ZWAR ETWAS UNGEWÖHN-LICH, ABER IM GRUNDE KANN JEDES PARLAMENTS-MITGLIED PREMIER-MINISTER WERDEN.
WIE SCHÖN FÜR DIESEN MANGA...!
ABER... ABER ...
WIE KOMMT ES, DASS DU MIT 25 SCHON IM PARLAMENT SITZT?!
UFF!
MIT 25 JAHREN KANN SICH JEDER INS UNTERHAUS WÄHLEN LASSEN.
HAST DU DAS NICHT IN DER SCHULE GELERNT?
UND WIE KOMMT ES, DASS EIN PARLAMENTS-NEULING WIE DU ZUM PREMIER-MINISTER GEWÄHLT WIRD?!
WEIL SICH DAS JAHRHUNDERT DEM ENDE ZUNEIGT.
HÄ...?

ABER WIE KANN UNSER WAHLSYSTEM SO ETWAS ZULASSEN?!
WIE ICH SCHON SAGTE: WEIL SICH DAS JAHRHUNDERT DEM ENDE ZUNEIGT.
DAS IST KEINE ANTWORT AUF MEINE FRAGE!!
NUN KOMM SCHON!
WIR SIND ENDLICH ALLEIN.

LASS UNS IRGENDWAS SCHÖNES MACHEN!
KYAAAAAAH!
HI... HILFE ...!
WARUM HILFT MIR KEINER?!

HÄ...?

ICH KÖNNTE DIR... DIE HAARE FRISIEREN ...!
WAS HÄLTST DU DAVON?
WIE WÄR'S MIT EINEM HÜBSCHEN PFERDE-SCHWANZ?
KOMM SCHON! ♡

HAAACH, DEIN HAAR FÜHLT SICH EINFACH HERRLICH AN!
IIIEH!
DER KERL IST DOCH EIN PERVER-SER!

UWAAAH! DU HAST ÜBERHAUPT KEINE BRÜSTE!
DIE MÜSSEN NOCH WACHSEN!
FLACH WIE 'NE FLUNDER!
!!
ANDE-RERSEITS SCHADET ER MIR DAMIT NICHT...
ALSO, WAS SOLL'S?!
HM... ZÖPFE WÜRDEN DIR BESSER STEHEN.
HM?
WA...
WAS FÄLLT DIR EIN ?!
WAS SOLL DAS?! DEINE ELTERN SIND MIT UNSE-RER BEZIEHUNG EINVERSTAN-DEN!
VER-DAMMT NOCH MAL!

WAS TREIBST DU HIER IN DEINEM BÜRO, KANATA-SAN?!
SAI!
HATTE ICH DICH NICHT GE-BETEN, ERST EIN-ZUTRETEN, WENN ICH DICH RUFE?
...
ははーっ
ALS ICH DAS GESCHREI HÖRTE, KONNTE ICH NICHT LÄNGER WARTEN.
ER HAT MICH GERETTET ...
HAST DU WIEDER FRISEUR GE-SPIELT?!
UND WENN SCHON !?
DEN HAB ICH DOCH NEULICH AUCH IN DER STADT GE-SEHEN...

HUCH...?!
DIESER BÖSE BLICK!
A-ABER WIESO?
ICH HAB IHM DOCH NICHTS GETAN!
GRMPF!
ICH BIN DAS OPFER.
ICH GEHE JETZT NACH HAUSE!
ABER WIR WOLLTEN DOCH WAS SCHÖNES MACHEN!
ICH GEHE!
HEY, MINORI!
WAS FÄLLT DIR EIN, MICH BEIM VORNAMEN ZU RU-FEN?!

UND LASS DIR EINES GESAGT SEIN...
... ICH HABE KEINE LUST, DICH ZU HEIRATEN!!
きっ
ALSO HALTE DICH IN ZUKUNFT VON MIR FERN, VERSTANDEN?!
LEB WOHL !!
ばんっ!!
...
H-HEY!
SIE HAT DIR DEN LAUFPASS GEGEBEN.
HA, HA... DAS WERDEN WIR JA SEHEN!

SIE GLAUBT WOHL, DASS SIE MICH JETZT LOS IST...
DA FÄLLT MIR EIN ...
DARF ICH DEIN HAAR FRISIEREN, SAI?!
...
OH MANN ...!
わきわき
DAS GESCHIEHT IHM RECHT !!
ICH LASSE MICH NICHT VON SEINER MACHT BLENDEN!!
ずかずか
... ABER SO LEICHT KOMMT SIE MIR NICHT DAVON.

UND ICH WERDE DIESEN EGOISTEN GARANTIERT NICHT HEI-RATEN!!
WÄHREND ICH DAS SAGTE...
ずんずん

... DREHTE SICH AN EINEM UN-BEKANNTEN ORT...
...
... DAS RAD DES SCHICKSALS UNAUFHALTSAM WEITER.

ACT 3
SEIKIMATSU ★ PRIME MINISTER
UND ICH WERDE DIESEN EGOISTEN GARANTIERT NICHT HEIRATEN!!
...
AHA, SIEH AN!
DAS IST ALSO KANATA-SAMAS PRINZESSIN ...

ACT
3
SEIKIMATSU★PRIME MINISTER

Büro des Premier-ministers
ばんっ
HEY, KANATA!
HM?
AH!

WA...
WAS TUST DU DA...?!
ICH FRÖNE MEINEM HOBBY.
HEY, SAI, DU MACHST ALLES KAPUTT!
HÖR AUF!
HMPF!
...
DU HAST DICH ÜBERHAUPT NICHT VERÄNDERT ...
UND WENN SCHON!?

DAS GIBT DIR NICHT DAS RECHT, OHNE ANZUKLOPFEN IN MEIN BÜRO ZU STÜRMEN, MATSUMOTO!
RED KEINEN UNSINN! WIR SIND SCHLIESSLICH EHEMALIGE KLASSENKAMERADEN!
DAS WAR DAMALS ...!!

APROPOS... ALS DU DAMALS INS ABSCHLUSSJAHRBUCH DER OBERSCHULE: GESCHRIEBEN HAST „ICH WERDE PREMIERMINISTER", HABEN WIR UNS ALLE VOR LACHEN AUSGESCHÜTTET ...
ABER DU HAST ES TATSÄCHLICH GESCHAFFT ...
UND DU HATTEST GESCHRIEBEN: „ICH WERDE JOURNALIST."
STIMMT...! ICH MUSSTE HART ARBEITEN, UM IN DIE POLITIKREDAKTION EINER GROSSEN ZEITUNG ZU KOMMEN... UND DANN SETZEN SIE MICH AUSGERECHNET AUF DICH AN...
BRUMMEL
HEY!

WAS SOLL'S ?!
HÖR ZU, KANATA...!
ICH HABE DAS, WORUM DU MICH GEBETEN HATTEST.
HI, HI, HI ...
SCHÖN ...
WILLST DU DAS WIRKLICH TUN?
NATÜR-LICH!!
?
DU MACHST DICH AM BESTEN GLEICH DARAN, MEINEN PLAN IN DIE TAT UM-ZUSETZEN!!
LOS, SKLAVE!!
JA, JA!
ICH GEH JA SCHON.
ICH BIN JOURNALIST... UND KEIN SKLAVE...

ABER WENN ETWAS SCHIEFGEHT, WEISS ICH VON NICHTS!
JA, JA, SCHON KLAR.
HI, HI, HI ...
DU FÜHRST SCHON WIEDER IRGENDWAS IM SCHILDE, KANATA-SAN ...
JEPP. UND DU KANNST MIR DABEI HELFEN!
AH!

DA FÄLLT MIR EIN... ICH WOLLTE DICH NOCH ETWAS FRAGEN, KANATA!
WAS...?
HAST DU EINEN LOLITAKOMPLEX?
SCHER DICH ZUM TEUFEL!

SAGT MAL... WER IST MINORI NAGASHIMA?

ざわ
ざわ
WAAAS, DIE MIT DEN ZÖPFEN?!
SO TOLL SIEHT DIE GAR NICHT AUS.
UND WAS HAT SIE FÜR EIN VERHÄLTNIS ZUM PREMIER-MINISTER?
TJA...
ICH HALT DAS NICHT AUS... ALLE STARREN MICH AN...

DU BIST EINE RICHTIGE BERÜHMTHEIT, MINORI-CHAN!
DAS IST ALLES NUR SEINE SCHULD!
GRMPF!
FREUST DU DICH NICHT?
DU BIST FAST SO EINE PRINZESSIN WIE CINDERELLA ...
うっとり…

CINDERELLA ?!
DAS SOLL WOHL EIN WITZ SEIN!

DIESER KERL IST KEIN MÄRCHENPRINZ!! ER IST EIN UNGEHEUER, GLAUB MIR!!
HÄÄÄ? ABER ER SIEHT DOCH UMWERFEND AUS!
UMWERFEND? DER ?!
あが。
HÄÄÄ?
LEBST DU HINTERM MOND, MINORI-CHAN?

PREMIER-MINISTER OKAZAKI IST WAHNSINNIG POPULÄR!!
ER HAT SOGAR SCHON EINEN EIGENEN FANKLUB ...
SEINE WAHLPLAKATE SIND GESUCHTE SAMMLERSTÜCKE UND KOSTEN EIN VERMÖGEN.
DIE EINSCHALT-QUOTEN DER FERNSEHÜBER-TRAGUNGEN AUS DEM PARLAMENT SIND REKORD-VERDÄCHTIG ...
... FERNSEH-ÜBERTRAGUNGEN AUS DEM PAR-LAMENT...?!
UND BEI EINER UMFRAGE DES FRAUENMAGAZINS ANNON, MIT WELCHEM MANN EINE FRAU GERN DIE NACHT VERBRINGEN WÜRDE, HAT ER DEN ERSTEN PLATZ BELEGT.
DIE WELT STEHT AM ABGRUND!
WIE AUCH IMMER... FÜR MICH IST ER NICHTS WEITER ALS EINE RIESEN-PLAGE !!
DU HAST KEINE AHNUNG, WIE VIELE LEUTE MICH HEUTE MORGEN GE-FRAGT HABEN, WAS GESTERN PASSIERT IST ...!!
NAGA-SHIMA-SAN!

KOMM BITTE NACH DEM UNTERRICHT INS LEHRER-ZIMMER!
ICH MÖCHTE DICH ETWAS FRAGEN.
JAHA! ♡
Lehrerzimmer
ICH VERSICHERE IHNEN...
... ICH HABE MIT DIESEM MANN NICHT DAS GE-RINGSTE ZU TUN!!
AHA... DAS BERUHIGT MICH.
ABER MEHRERE SCHÜLER WOLLEN GESEHEN HABEN, WIE DU ZU IHM INS AUTO GESTIEGEN BIST...
AH... DAS WAR EIN VERWANDTER, DER IHM SEHR ÄHNLICH SIEHT.

AHA... NA SCHÖN!
ENTSCHULDIGE DIE FRAGEN!
KEIN PROBLEM.
ALSO DANN, AUF WIEDERSEHEN.
MEINE GÜTE ...!
AH, DA IST SIE!
SEHT IHR? DA!
VERDAMMT NOCH MAL!
JETZT ZEIGEN DIE LEUTE SCHON MIT DEM FINGER AUF MICH!

BALD IST DIE GANZE SACHE VERGESSEN.
ABER DA MUSS ICH DURCH.
DIE GERÜCHTE WERDEN SICH WIEDER LEGEN.
HM?

NANU...?
WAS IST DAS FÜR EIN MENSCHEN-AUFLAUF VOR UNSE-REM HAUS ...?
ざわっ..
SIE SIND MINORI NAGASHIMA, RICHTIG?!
HÄ?! ICH ?!

WAS SAGEN SIE ZU DER SACHE?!
MÖCHTEN SIE DAZU STELLUNG NEHMEN ?!
...?!
WA... WAS IST PAS-SIERT ?!

DIESER ARTIKEL WIRD MORGEN ERSCHEINEN.
HÄ?

サンメイスポーツ!!
岡崎総理
援助交際
疑惑?
高校生少女Aと
WA ...
WAS HAT DAS ZU BEDEUTEN ?!
GE-FÄHRLICHE LIEBSCHAFT ...?!
SIE SIND OBER-SCHÜLERIN A, NICHT WAHR?
* SANMEI NEWS
GEFÄHRLICHE LIEBSCHAFT ZWISCHEN PREMIER OKAZAKI UND OBERSCHÜLERIN. SCHLIMMER VERDACHT!

DAS GAME-CENTER ...!!!
WIESO GIBT ES DAVON EIN FOTO ...?!
IN WELCHER BEZIEHUNG STEHEN SIE ZUM NEUEN PREMIER-MINISTER ?!
WA... WAS SOLL ICH SAGEN ...?
BEDEUTET IHR SCHWEIGEN, DASS DIE IN DIESEM ARTIKEL AUFGESTELLTEN BEHAUPTUNGEN DER WAHRHEIT ENTSPRECHEN?!
HI... HILFE ...!
WAS SOLL ICH SAGEN, DAMIT SIE MIR GLAUBEN ...?!
MI-NORI !!

STEIG EIN!! SCHNELL!!
KANATA OKAZAKI!!
PREMIER-MINISTER OKAZAKI!!
PREMIER OKAZAKI!!
SCHNELL, INS AUTO!!
WAS SAGEN SIE DAZU, PREMIER-MINISTER OKAZAKI?!
O-OKAY ...

AAAH ...
Bip
Bip
Bip
JA?

WAS?! DER PREMIER GIBT IN SEINEM AMTSSITZ EINE PRESSEKON-FERENZ?!
WIE BITTE ?!
ALLES OKAY ...?
NICHTS IST OKAY.

WAS SOLL ICH JETZT TUN?! HEUTE STAND WEGEN MIR BEREITS DIE GANZE SCHULE KOPF...
WIE SOLL DAS ERST WERDEN, WENN DIESER ARTIKEL ERSCHEINT ...?!
す…
!
はっ
WAS ...?
TUT MIR LEID...
!
MACH DIR KEINE SORGEN!

DAS WIRD SCHON WIEDER!
ÜBERLASS DAS EINFACH MIR!
O...
OKAY ...
WI... WIE-SO ...
... HAB ICH PLÖTZLICH SO WEICHE KNIE...?
WEIL DER PREMIER UMWERFEND AUSSIEHT ...

OKAY... ER SICHT WIRKLICH NICHT SCHLECHT AUS...
ABER ICH GLAUBE, ES LAG AN SEINEM LÄCHELN ...

WAAAH ...!

OH MANN...! DU WILLST WIRKLICH EINE PRESSE-KONFERENZ GEBEN?!
WAHN-SINN! DIESE VIELEN LEUTE ...!
KEINE SORGE! DU KANNST DIR VON HIER AUS ALLES ANSCHAUEN.
...
!
O...
OKAY.
PREMIER-MINISTER OKAZAKI!!
ざわっ

HERR PREMIER-MINISTER !!
WAS IST MIT DIESEM ARTIKEL ?!
HABEN SIE EINE BEZIEHUNG MIT OBER-SCHÜLERIN A?!

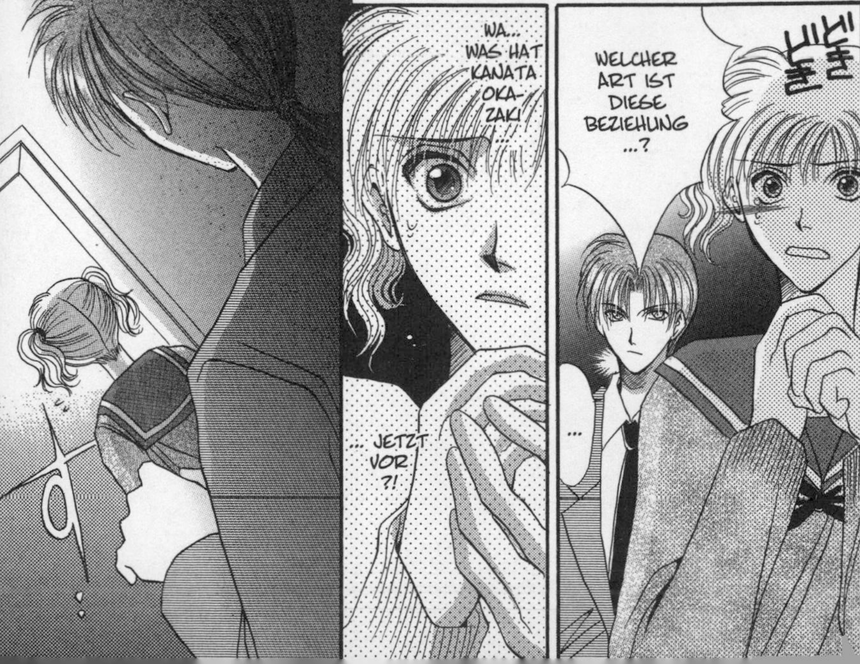
WELCHER ART IST DIESE BEZIEHUNG ...?
...
WA... WAS HAT KANATA OKA-ZAKI ...
... JETZT VOR ?!

WAH?!
OH ...
AAAH!
!!
HÄÄÄÄ?!

DAS IST DAS MÄDCHEN !!
KYAAAAH!
WAS MACHT SIE HIER...?!
OH NEIN, WAS JETZT ?!
WIESO HAT MICH DER KERL GESCHUBST ...?
BITTE STEH AUF!
HÄ...?

KANATA OKAZAKI ...
ALLES IN ORDNUNG ...?
J-JA...

T-TUT MIR LEID. ICH WOLLTE NICHT AUF DIE BÜHNE KOMMEN, ABER...
ALSO ...
HM?
ERLAUBEN SIE MIR, DIE GELEGENHEIT ZU NUTZEN ...
... UM IHNEN JEMANDEN VORZU-STELLEN!
MEINE DAMEN UND HERREN, DAS IST MINORI NAGASHIMA...
... MEINE VERLOBTE.
HÄ?!

ICH HABE BEI IHREN ELTERN UM IHRE HAND ANGEHALTEN UND SIE WAREN SO FREUNDLICH ...
... UNSERER BEZIEHUNG UND DER BEVORSTE-HENDEN HEIRAT IHREN SEGEN ZU GEBEN.
HÄ?
WAS?
WIE SIE SEHEN, ENTBEHRT DIESER VERLEUMDERISCHE ARTIKEL JEDER GRUNDLAGE.
SAGTE ER „VERLOBTE“ ...?
おおっ
DANN IST UNSERE ZUKÜNFTIGE FIRST LADY EIN TEEN-AGER?!
DAS IST EINE SENSA-TION!!

MO... MOMENT MAL!!
WAS HAT DAS ZU BE...
...!!
OH MEIN GOTT...

DAS ...
... WAR EINE FALLE ...?!
Die Presse-konferenz ist hiermit beendet, meine Damen und Herren.
ざわ ざわ...
MEINE GÜTE, WAS FÜR EINE RIESENSTORY!
ALLER-DINGS!!

ざわ
ざわ
ICH FRAGE MICH, W
DIE KOLLEGEN VO
DEN SANMEI NEWS
AN DIESES FOTO
GEKOMMEN SIND.
DAS IST EINE ZIEMLICH MERKWÜRDIGE GESCHICHTE.
ICH WEISS VON NIX!
ざわ
ANGEBLICH WURDE IHNEN DAS FOTO VON EINEM JOURNALISTEN AUS DER POLITIK-REDAKTION DER MAIASA-ZEITUNG ZUGESPIELT...
WAS...?

Büro des Premier-ministers
ICH HAB DICH WAS GEFRAGT ...!!
DAS GANZE WAR VON ANFANG AN SO GEPLANT, STIMMT'S?!
カチッ
HMMM ...

NA JA ...
JEDEN-FALLS...
... WEISS JETZT DAS GANZE LAND, DASS WIR BEIDE VERLOBT SIND.
!!
FÜR DICH... GIBT ES KEIN ZURÜCK MEHR!

STIMMT'S ...?
ER IST...
...
... WIRKLICH UNGLAUBLICH...!!
SCHWESTERCHEN IST IM FERNSEHEN!
OOOH...
DAS IST MINORI-CHAN!
NAGASHIMA-SAN...
SIE HAT MICH BELOGEN.
UND SO...

...
... WURDE DER NAME ...
... MINORI NAGASHIMA ÜBER NACHT ...
... IM GANZEN LAND BERÜHMT.

ACT 4
SEIKIMATSU ★ PRIME MINISTER
NAGATA-VIERTEL IM STADTTEIL CHIYODA...
RESIDENZ DES PREMIERMINISTERS ...
DIESE VILLA WIRD DEM PREMIERMINISTER WÄHREND SEINER AMTSZEIT ALS WOHNSITZ ZUR VERFÜGUNG GESTELLT...
ICH HATTE KEINE AHNUNG ...
... DASS DER AMTSSITZ UND DIE VILLA DES PREMIERS MITEINANDER VERBUNDEN SIND.
SIEHST DU, MINORI...!? ♡

DAS IST ES!
DAS IST VON NUN AN UNSER GEMEINSAMES ZUHAUSE!
ACT 4
SEIKIMATSU ★ PRIME MINISTER
DEIN GESÜLZE GEHT MIR MÄCHTIG AUF DIE NERVEN!
VON EINEM TAG AUF DEN ANDEREN ...
... MUSSTE ICH UM- ZIEHEN.

AUAAA!
WAS SOLL DENN DAS?
WIESO BIST DU SO WÜTEND ?!
DAS WEISST DU GANZ GENAU !!
WER IST DENN DARAN SCHULD, DASS ICH VON HEUTE AUF MOR-GEN UM-ZIEHEN MUSSTE ?!
ICH.
きっぱり
GANZ GENAU, DU MIST-KERL!
GRUMPF!
NACH DER PRESSE-KONFERENZ SIND IN MEINER UMGEBUNG DINGE GE-SCHEHEN, DIE MICH ZU DEM UMZUG GEZWUNGEN HABEN.
ファースト・レディ
岡崎総理
婚約会見
サンメイスポーツ
* SANMEI NEWS
PREMIER OKAZAKI GIBT VERLOBUNG BEKANNT.

ÜBERALL ZEIGTEN DIE LEUTE MIT DEM FINGER AUF MICH.
DA, DAS IST SIE!
SO EIN JUNGES DING!
PLÖTZLICH HATTE ICH JEDE MENGE NEUE „FREUNDE“.
WIE IST MINORI NAGASHIMA SO?
NA JA, SIE IST ZIEMLICH STREITLUSTIG.
MEINE BESTE FREUNDIN HATSUMI-CHAN TRAT ALS „SCHULFREUNDIN DER ZUKÜNFTIGEN FIRST LADY“ IN EINER FERNSEHSHOW AUF.
ICH WILL EIN AUTOGRAMM VOM PREMIERMINISTER!
BITTE!
ICH WAR ÜBER NACHT ZUR BERÜHMTHEIT GEWORDEN.
UND DAS HAUS, IN DEM ICH MIT MEINER FAMILIE WOHNTE, WURDE SO VON DER PRESSE, SCHAULUSTIGEN UND BODYGUARDS VON KANATA OKAZAKI BELAGERT...

TUT MIR LEID, NAGASHIMA-SAN, ABER DIE BESCHWERDEN ...
... DER ANDEREN HAUSBEWOHNER HÄUFEN SICH.
MINORI-CHAN MUSS GEHEN...
A-ACH SO ...
... DASS MIR AM ENDE GAR KEINE ANDERE WAHL BLIEB ALS AUSZUZIEHEN.
UND WAS SAGT DIESER KERL DAZU...?!
KEINE SORGE, VEREHRTE FRAU MAMA UND GEEHRTER HERR PAPA!!

VON NUN AN WERDE ICH MICH UM MINORI-CHAN KÜMMERN!!
ACH, WIRKLICH?
HO, HO, HO, HO...
MIR FÄLLT EIN STEIN VOM HERZEN!!
WA, HA, HA...
GOTT SEI DANK! DIE WOHNUNG IST NOCH NICHT ABBEZAHLT.
MOMENT MAL!
IHR ERLAUBT, DASS ICH VOR DER HOCHZEIT MIT EINEM MANN ZUSAMMENZIEHE?!
WAS BLEIBT UNS ANDERES ÜBRIG?!
IN LETZTER ZEIT... BEKOMMEN WIR SO SELTSAME ANRUFE UND BRIEFE...
ICH KANN VOR SORGE KAUM NOCH SCHLAFEN ...
STELL DIR VOR, DIR PASSIERT IRGENDWAS...
ES IST DOCH NUR ZU DEINEM BESTEN, MINORI-CHAN!!
N-NA GUT, DANN ZIEHE ICH ZU GROSSMUTTER AUFS LAND!!
OKAY?

DU KANNST DOCH JETZT NICHT DEINER GROSSMUTTER ZUR LAST FALLEN.
KLIPP UND KLAR!
VERSTEHE... ICH BIN DIR ALSO EINE LAST, MUTTER.
VON WEGEN... ZU MEINEM BESTEN.
KEINE SORGE! BIS ZUR HOCHZEIT WERDEN WIR WIE BRUDER UND SCHWESTER LEBEN.
SIEHST DU? ♡ DER PREMIERMINISTER LÜGT NICHT.
ZWEIFELNDER BLICK
...
IN DER BEWACHTEN RESIDENZ DES PREMIERMINISTERS BIST DU SICHER UND ICH KANN NACHTS WIEDER RUHIG SCHLAFEN. ♡
ABER, MUTTER!
ICH WILL NOCH NICHT HEIRATEN ...
DAS KANN ICH GUT VERSTEHEN, MINORI ...
ICH HATTE AUCH ANGST, ALS ICH NACH DER ARRANGIERTEN HOCHZEIT ...
... MIT DEINEM VATER ZUSAMMENZIEHEN SOLLTE.
ぽっ...
PFF... ICH ERINNERE MICH...
WIE BITTE ...?
KEINE SORGE ...! ♡
DAS LEGT SICH, WENN IHR ERST ZUSAMMENWOHNT. ♡
ABER ...

DARUM GEHT ES DOCH GAR NICHT!!
LEBE WOHL, MEINE TOCHTER ...!
UND SO KAM ES...
GRMPF!
... DASS ICH MIT KANATA OKAZAKI IN DIE RESIDENZ DES PREMIER-MINISTERS ZOG.
MEINE UNSCHULD IST IN GEFAHR.
ICH MUSS SO SCHNELL WIE MÖGLICH WIEDER AUS-ZIEHEN!
HMMM?
WAS IST LOS?
DU SIEHST AUS, ALS WÜRDEST DU GLEICH EXPLODIE-REN...

WUNDERT DICH DAS ETWA?!
ICH WOLLTE NICHT MIT DIR UNTER EINEM DACH LEBEN!
ABER WIR SIND DOCH VERLOBT.
JA, WEIL DU OHNE MEIN EINVERSTÄNDNIS IRGENDWELCHE GERÜCHTE IN DIE WELT GESETZT HAST!!
UND WENN SCHON!
ICH HAB DOCH GESAGT ...
HI, HI...
... DASS ES FÜR DICH KEIN ZURÜCK MEHR GIBT.

DIR BLEIBT GAR NICHTS ANDERES ÜBRIG, ALS MICH ZU HEIRATEN.
...

MINO-RI?
WIESO ...?
WIESO TUST DU MIR DAS AN?!
WIESO ZWINGST DU MICH MIT SO UNFAIREN MITTELN DAZU, MIT DIR ZU LEBEN...?!
ICH ZWINGE DICH... MIT UNFAIREN MITTELN?
DAS IST NICHT WAHR.
SOLL DAS HEISSEN, DU BIST DIR KEINER SCHULD BEWUSST ...?
KLAR?!
ES GEHÖRT ZU MEINEM JOB, HINTER DEN KULISSEN DIE FÄDEN ZU ZIEHEN.
WAG ES NICHT, MIR ZU DROHEN!!
WIESO WILLST DU MICH UM JEDEN PREIS HEIRATEN?!
WIESO ...? NA JA, WEIL ...

WEIL ICH DICH LIEBE. DAS LIEGT DOCH AUF DER HAND.
HÄ?

?
LASS DICH NICHT VON IHM EINWICKELN, MINORI!
DAS IST SICHER WIEDER EINE FALLE.
D-DAS IST GE-LOGEN ...!
WAS ...?
SAG BLOSS, DAS HAST DU NICHT GEMERKT?
SSST
... NEIN!
ICH LIEBE DICH WIRKLICH, MINORI!
...
N-NEIN, NICHT ...!

ICH WILL MICH JA NICHT EIN-MISCHEN ...
ABER VIELLEICHT SOLLTET IHR LIEBER WOANDERS FLIRTEN ...
... ALS HIER DRAUSSEN MITTEN AUF DER STRASSE!
はっ
SONST ERFAHREN ALLE, DASS DU EINEN LOLITA-KOMPLEX HAST.
MA ...
ぽん
MATSU-MOTO, DU MIST-KERL!
WAS DENN? ICH MEINE ES DOCH NUR GUT MIT DIR!
PUH!
DAS WAR KNAPP. FAST WÄRE ICH DARAUF REINGE-FALLEN.

WAS TUST DU HIER? DEIN PLATZ IST IM PRESSEZIMMER DES AMTS-SITZES!
AH, MINORI-CHAN! ENDLICH LERNEN WIR UNS KENNEN!
HIER, EIN KLEINES GESCHENK ZUM EIN-ZUG! ♡
HÄ?
AUS DER NÄHE BETRACH-TET BIST DU NOCH VIEL HÜB-SCHER!
VERDAMMT!
MATSUMOTO!
HÄ?
HÖR AUF, MEINE VERLOBTE ZU BEFUM-MELN!!
SEI NICHT SO KLEIN-LICH!
ICH HAB DOCH GAR NICHTS GEMACHT.
...?!
DIE BEIDEN KÖNNEN ES EINFACH NICHT LASSEN.

!
FREUT MICH, DICH KENNEN-ZULERNEN, MINORI-CHAN!
SOLLEN SICH DIE ZWEI RUHIG STREITEN ...
WOLLEN WIR EINEN TEE TRINKEN?
WOW...! WAS FÜR EIN HÜB-SCHER JUNGE!
WIE KOMMT DER DENN HIERHER ?!
HEEEY, RYOICHIII!
UPS?

WAS FÄLLT DIR EIN, MINORI ANZUBAGGERN?! DU BIST MEIN SP (SICHERHEITS-POLIZIST)!
...
NA UND? WIR SIND SCHLIESSLICH ALTE KLASSENKAMERADEN.
LASS MICH LOS!!
WAS HAT DAS DAMIT ZU TUN?!
SP?
SIE SIND POLIZIST?
UND WAREN KANATA OKAZAKIS KLASSENKAMERAD? DANN MÜSSEN SIE AUCH 25 SEIN.
DAS SIEHT MAN IHNEN NICHT AN.
JA. ♡
ICH HEISSE ÜBRIGENS RYOICHI MAKITA. SEHR ERFREUT. ♡
ÄH...
UND ICH BIN MATSUMOTO, JOURNALIST IN DER POLITIKREDAKTION DER MAIASA-ZEITUNG.

WENN KANATA GROB ZU DIR IST, DANN SCHREI EINFACH, MINORI-CHAN!
ICH SITZE AM EINGANG IM SICHER-HEITSRAUM UND BIN SO-FORT ZUR STELLE. ♡
HÄ ...?
ICH WERDE AUCH HIN UND WIEDER NACH DEM RECHTEN SEHEN.
WIE ES DER ZUFALL WILL, SIND WIR EHE-MALIGE KLASSEN-KAMERADEN.
WIR KENNEN KANATA!
WENN ER FRECH WIRD, WERDE ICH IHN AUF DER STELLE ERSCHIESSEN.
GENAU. ♡
WA, HA, HA... ♡
KLAPPE, IHR IDIOTEN ...!
ÄH...
SIE SIND SEHR NETT...!
DU SOLLST MICH BE-SCHÜTZEN... UND NICHT ERSCHIES-SEN.
ECHT?

MIT IHRER HILFE KOMME ICH HIER SCHON IRGENDWIE ZURECHT...
WAS, ZUR HÖLLE, TREIBT IHR DA?
DIE STIMME KENN ICH DOCH...
KYAAAH ...
SCHON WIEDER DIESER KERL!
SAI!!

Los, hilf mir!!
Mach ihn fertig!!
Na los!!
Ka-nata-san ...
Zwei gegen einen ist feige!
Der Kerl ist mir unsympathisch.
Hast du nur Unsinn im Kopf?
Pah!
Er macht immer so ein finsteres Gesicht ...
Und wie er mich neulich angestarrt hat...
Kyaaaaaah!
Hm?

VERDAMMT NOCH MAL!
HILFE! ER HAT MICH SCHON WIEDER SO BÖSE ANGE-STARRT ...
AU.
DU ALTER MIESEPETER! KANNST DU NICHT EINMAL LÄCHELN ?!
HAR-TER TO-BAK
HMPF!
MINORI FÜRCHTET SICH ZU TODE...
?!
MIESE-PETER ...?
TUT MIR LEID, MINORI!! DER KERL IST ZIEMLICH VER-STOCKT UND UNFREUNDLICH, ABER DA ER AUCH BEI UNS WOHNT...
... WIRST DU DICH MIT IHM ARRAN-GIEREN MÜSSEN.

O-OKAY.
WENN DAS SO IST...
ER STARRT JEDEN SO BÖSE AN, NICHT NUR MICH!!
JETZT BIN ICH ERLEICHTERT.

PUUUH!
ICH HABE MEIN ZIMMER FERTIG EIN-GERICHTET.
...
AB HEUTE WOHNE ICH HIER ...
DIES IST MEIN NEUES ZUHAUSE ...
トン トン
MI-NORI-CHAN?
ÄH, JA?
BIST DU FERTIG MIT EIN-RÄUMEN?
JA, FÜRS ERSTE REICHT'S ...

ETSUKO-SAN, DIE HAUSHÄLTERIN...
DU BIST SICHER ERSCHÖPFT.
ICH HABE DIR BADEWASSER EINGELASSEN ...
GEH UND ENTSPANN DICH ETWAS!
SIE WOHNT AUCH BEI UNS UND KÜMMERT SICH UM DEN HAUSHALT.
OKAY.
VIELEN DANK
GESAGT, GETAN ...
WIE ES AUSSIEHT ...
... WOHNEN HIER NOCH EINE MENGE ANDERER LEUTE.
UND SIE SCHEINEN ALLE SEHR NETT ZU SEIN.
♫
ALSO KANN MIR KANATA OKAZAKI NICHT SO LEICHT AN DIE WÄSCHE GEHEN.
ICH HAB MIR VÖLLIG UMSONST SORGEN GEMACHT. ♡
DA SIEHT DIE ZUKUNFT GLEICH VIEL ROSIGER AUS. ♡

!!
HM?
WAS...?
DU WOLLTEST MIT MIR ZUSAMMEN IN DIE BADEWANNE?
SAG DAS DOCH GLEICH...!

...
KYAAAAAAAAAAH!
HÄ?
...
HERRJE!!
HM?
HAT SICH SELBST EINGELADEN.
MI... MINORI?!
WAS IST PASSIERT?
W-WAS WOLLT IHR HIER?!

VERDAMMT! KANNST DU DICH NICHT EINMAL ZUSAMMEN-REISSEN, KANATA?!
WAS DENN?! ICH HAB DOCH GAR NICHTS GETAN!
DU LÜGNER!
HA... HAB ICH MICH ERSCHRO-CKEN...
PAPA! MAMA!
ICH HAB ANGST VOR DEM, WAS MICH HIER ERWARTET ...
ICH WILL NACH HAUSE!
...
VOLLER UNBEHA-GEN...
... BEGANN ICH MEIN NEUES LEBEN IN DER RESI-DENZ DES PREMIER-MINISTERS.

WILLST DU...
... MIT-KOMMEN ...?
WIE LANGE IST DAS HER...
... DASS MIR JEMAND HELFEND DIE HAND HIN-STRECKTE?
ACT 5
SEIKIMATSU ★ PRIME MINISTER

ACT
5
SEIKIMATSU★PRIME MINISTER

...
ZEIT ZUM AUFSTEHEN ...

HEEEY, MINORI ...!
MINORI ...!
STEH AUF, MINORI !!
ICH HAB NACHHER EIN ARBEITSFRÜH-STÜCK UND MUSS GLEICH WEG!
MNJA...
WAS SOLL DAS GESCHREI ...?
MINORI ...?!
GRUMPF ...
...

む～…
...
HEY, MINORI !!
STEH ENDLICH AUF!
ゆさゆさ
MNNN ...
MINORI!
LASS MICH IN RU...
WENN DU NICHT AUFSTEHST, GEBE ICH DIR EINEN GUTEN-MORGEN-KUSS!!
!!

WAS FÄLLT DIR EIN, EINFACH IN MEIN ZIMMER ZU KOMMEN ?!
WAS BLEIBT MIR ANDERES ÜBRIG, WENN DU PARTOUT NICHT AUF-STEHEN WILLST?!
DU SCHLAFMÜTZE!
MIST ...!
WIESO MUSS ICH DIR SCHON SO FRÜH AM MORGEN GESELLSCHAFT LEISTEN...?
ICH HÄTTE NOCH EINE STUNDE SCHLAFEN KÖNNEN.
Sicher-heits-raum
ICH SEH MAL NACH.
SIE STREI-TEN SICH...
SO FRÜH AM MOR-GEN...
HALLO, ICH BIN MINORI NAGA-SHIMA.
SEIT EIN PAAR WOCHEN WOHNE ICH IN DER RESIDENZ DES PREMIER-MINISTERS.
NA, NA, NA... ♡

HIER DREHT SICH ALLES UM DEN EIGENSINNIGEN KANATA OKAZAKI.
SO, FERTIG! ♡
SIEH NUR, WIE HÜBSCH DU AUSSIEHST, MINORI!!
...
JEDEN MORGEN DIESELBE PROZEDUR ...
TROTZDEM HABE ICH ES IRGENDWIE GESCHAFFT, DIE TAGE UNBESCHADET (?) ZU ÜBERSTEHEN.
KANATA-SAN! DU KOMMST ZU SPÄT ZU DEINEM ARBEITSFRÜHSTÜCK!
GLEICH ...!
ICH WÜNSCHE DIR EINEN SCHÖNEN TAG, MINORI!
JA, JA.
ENDLICH FRÜHSTÜCKEN!
...
WA... WAS IST?
ICH DACHTE, DU HÄTTEST ES EILIG!!
IST IRGENDWAS?!

WÜNSCH MIR EINEN SCHÖNEN TAG!
ZUPF
HÄ ...?!
LOS, SAG: „ICH WÜNSCHE DIR EINEN SCHÖNEN TAG!"
HÄ?
ÄH...
ICH... WÜNSCHE DIR EINEN SCHÖ-NEN TAG.
HÄ ...?

DANKE! ALSO DANN, BIS SPÄTER!
...
WAS SOLLTE DAS?
MANCHMAL FRAG ICH MICH, WAS IN SEINEM KOPF VORGEHT ...
HO, HO, HO, HO.

WIE GLÜCKLICH ER AUS-SIEHT!
KOMM, MINORI-CHAN! FRÜH-STÜCKEN.
ETSUKO-SAN.

UND WIESO SIEHT ER SO GLÜCKLICH AUS?
ガタン
HO, HO, HO. DUMME FRAGE! WEIL DU HIER BIST...
HÄ?
WAS ICH DIR JETZT SAGE, BLEIBT UNTER UNS ...
SEIT DU HIER EINGE-ZOGEN BIST, ERFREUT SICH DER PREMIER-MINISTER BESTER LAUNE.
ER KOMMT AUCH VIEL BESSER AUS DEM BETT.

DER PREMIER-MINISTER MUSS DICH WIRKLICH SEHR LIEBEN, MINORI-CHAN!
HO, HO, HO. IHR JUNGEN LEUTE SEID ZU BENEIDEN.
かあっ
HÄÄÄ ?!
WA... WA... WAS REDEN SIE DA FÜR EINEN UNSINN, ETSUKO-SAN?!
ばしばしばし
HÖR AUF, MINORI-CHAN! DAS TUT WEH. ♡
DER UND MICH LIEBEN...?! WER'S GLAUBT, WIRD SE-LIG...
MINORI-CHAN!
LASS NOCH ETWAS ZUCKER ÜBRIG! ♡
HO, HO, HO...
DAS IST SICHER WIEDER EI-NE SEINER FALLEN.
GANZ RUHIG, MINORI! DAS IST KEIN GRUND, WEI-CHE KNIE ZU KRIEGEN.
NICHT AUFRE-GEN...!

IST DER TEE ZU HEISS?
ODER HAST DU ZU VIEL ZUCKER REINGETAN?
KEINS VON BEIDEM, ETSUKO-SAN...
!!
ぶはっ
HUCH!!
MI... MINORI-CHAN ?!
よろ…
DAS WAR GAR KEIN ZUCKER, SONDERN SALZ...
HERRJE!!
DU HAST RECHT!!
SELTSAM. HABE ICH AUS VERSEHEN SALZ IN DIE DOSE GEFÜLLT?
ENT-SCHULDIGE BITTE...!
SCHON GUT...
ZU DIESEM ZEITPUNKT AHNTE ICH NOCH NICHT ...

... DASS DIES NUR DER PROLOG FÜR DIE KOMMENDEN EREIGNISSE WAR.
AAAAH!!
WAS HAST DU, MINORI-CHAN?
SIEH DIR DAS AN!!
HÄSSLICHE KUH!
IDIOT!
WAS IST DAS DENN...?
WA...
WIRKLICH EINE KINDISCHE ART, DICH ZU MOBBEN...!
ABER WIESO SOLLTE MICH JEMAND MOBBEN, HATSUMI-CHAN?

WIESO?! DAS IST DOCH NICHT WEITER VERWUNDERLICH.
HÄ?!
WIE MEINST DU DAS?!
CINDERELLA WURDE DAMALS SCHLIESSLICH AUCH GEMOBBT.
HI, HI, HI, HI, HI...
DAS IST NICHT WITZIG!
ICH WURDE NOCH NIE GEMOBBT.

ABER PLÖTZLICH... PASSIERTEN JEDEN TAG IRGENDWELCHE MERKWÜRDIGEN DINGE...
ZUGENÄHTE ÄRMEL...
EINE FALLEN GELASSENE BANANENSCHALE...
PFEFFER IN DER ZAHNPASTA...
BEMALTES GESICHT...
ABER WER TUT SO ETWAS... UND WIESO?!
WAS FÜR EINE KINDISCHE ART, SICH AN MIR ZU RÄCHEN...!
GRR! GRRRMPF!

EINS STEHT JEDENFALLS FEST ...
AH! HALLO, MINORI-CHAN.
HAL-LO.
NACH ALLEM, WAS BISHER PASSIERT IST...
... KOMMT ALS TÄTER ...
... NUR JEMAND AUS DER RESIDENZ IN FRAGE.
WENN ICH'S MIR RECHT ÜBERLEGE, BIN ICH DIE EINZIGE, DIE ZUCKER IN DEN TEE NIMMT.
ALSO ZIELTE DIE AKTION MIT DEM SALZ VERMUTLICH AUCH AUF MICH AB.
JETZT, WO ICH DAS WEISS, WERDE ICH DEN TÄTER SCHNAPPEN!!
SO VIEL STEHT FEST!!
ABER HIER GEHEN SO VIELE LEUTE EIN UND AUS...
HMMM...
... DASS ICH GAR NICHT WEISS, WIE ICH SIE ALLE IM AUGE BEHALTEN SOLL.
DER TÄTER IST SICHER NICHT BLÖD...
はた。
は...
HM?

SAI-SAN?
AHAAA... ♡
MINORIS PANTOF-FELN
REISS-ZWECKEN
HEEEY!
DU HAST MICH DIE GANZE ZEIT GE-MOBBT!
DU BIST DER TÄTER!
DAH!
HE, HE, HE! ENDLICH HAB ICH DICH...
UND JETZT VERSUCHST DU ZU FLIEHEN. NA WAR-TE!
!

ALSO, RAUS MIT DER SPRACHE !!
WIESO HAST DU DAS GETAN ?!
...
HMPF...
ODER WILLST DU MIR WEIS-MACHEN, DU HÄTTEST MICH OHNE GRUND SO GEMOBBT?!
...
ボソ…
... SE.
HÄ?
WIE WAR DAS?
ICH SAGTE ...
... WEIL ICH DICH HASSE!!

ICH DACHTE, ICH SEHE DICH NIE WIEDER!!
ABER DANN HAST DU DICH HIER EINGE-NISTET ...
ICH WILL, DASS DU VER-SCHWIN-DEST!!
NA LOS!!
HÄSS-LICHE KUH!!
DUMME ZIEGE!
...
HÄH ...?

ICH HÄTTE NICHT GEDACHT ...
... DASS ER SO AUS-RASTEN WÜRDE.
...
MOMENT MAL!
WER GIBT IHM DAS RECHT, SO MIT MIR ZU REDEN?!
WER IST HIER HÄSSLICH ?!
HAT DER KERL KEINEN SPIE-GEL?
WAS HAB ICH IHM GETAN, DASS ER MICH SO HASST...?!
HMMM...

ER HAT MIR VON ANFANG AN EINE GÄNSEHAUT GEMACHT ...
DANN GALTEN SEINE BÖSEN BLICKE DOCH NUR MIR...
VON WEGEN „MIESEPETER"!
ABER WIE SEHR ICH AUCH DARÜBER NACHDENKE, MIR FÄLLT KEIN GRUND EIN, WARUM ER MICH SO HASST.
NANU... MINORI-CHAN?!

WAS TUST DU HIER DRAUS-SEN?
MATSUMOTO-SAN!

WO KOM-MEN SIE PLÖTZLICH HER?
VOM AMTSSITZ FÜHRT EIN WEG IN DEN GARTEN.
SIEHST DU? DA!
AH!!
ぽむ
SIE KOMMEN WIE GE-RUFEN.
HÄ?

DU WILLST ETWAS ÜBER SAI WISSEN?
NICHT ÜBER MICH?

JA.
HM... ÜBER KANATA UND RYOICHI KÖNNTE ICH DIR EINIGES ERZÄHLEN.
ABER ÜBER SAI WEISS ICH SO GUT WIE NICHTS.

HÄ?
DANN IST SAI KEIN EHE-MALIGER MITSCHÜLER?
NEIN, ER WAR NICHT BEI UNS.

AHA... ICH DACHTE, SIE WÄREN ALLE IN DERSELBEN KLASSE GE-WESEN.

HA. HA. HA ...
WIE KOMMST DU DENN DARAUF, MINORI-CHAN?!
DAZU IST DER ALTERS-UNTERSCHIED ZWISCHEN SAI UND UNS DOCH VIEL ZU GROSS.

DER BURSCHE IST GERADE ACHTZEHN JAHRE ALT...
HÄ...?
WAAAS? ACHT-ZEHN?!
DANN IST ER NUR ZWEI JAHRE ÄLTER ALS ICH?!
ER SIEHT ABER VIEL ÄLTER AUS!!
AH...
DA FÄLLT MIR NOCH ETWAS EIN...
DAS WUSSTEST DU SICHER NICHT.
SAI IST HALB-JAPANER.
VIELLEICHT WIRKT ER DARUM SO ERWACHSEN.
HALB-JAPANER?! STIMMT. RICHTIG JAPANISCH SIEHT ER NICHT AUS ...
ABER... ICH HABE NOCH EINE FRAGE!!

Wieso wird ein 18-jähriger Sekretärin?!
Ich glaube, das ist ein Missverständnis, Minori-chan. Sais offizieller Titel lautet erster Sekretär von Premierminister Okazaki.
Er ist keine Sekretärin.
はっはっは
Aber das ist doch noch viel erstaunlicher!

Ein 25-jähriger Premier mit einem 18-jährigen ersten Sekretär ...
Das hat viel Staub aufgewirbelt.
Tja, das hat Kanata damals durchgesetzt.
Aber am Ende sind alle Kritiker verstummt.
Sai scheint so etwas wie ein kleines Genie zu sein...
Er hat eine amerikanische Eliteuni besucht und einen Doktortitel erworben. Kanatas politischer Erfolg ist vor allem sein Verdienst!!
えええっ!?

EIN GENIE?! WIESO SPIELT MIR EIN GENIE SOLCHE KINDISCHEN STREICHE...?!
WENN DU MEHR ÜBER IHN WISSEN WILLST...
... SOLLTEST DU KANATA FRAGEN.
MO-MENT MAL ...!
SAG MAL...
IST ZWISCHEN DIR UND SAI IRGENDWAS VORGEFALLEN, MINORI-CHAN?
HÄ?
N-NEIN, NICHTS.
WIRK-LICH NICHT?

DU KANNST JEDERZEIT ZU MIR KOMMEN.
ぽん
ICH WERDE DIR HELFEN, WO ICH KANN.
O-OKAY.
DAS IST SEHR NETT, MATSU-MOTO-SAN.
WIESO SIND SIE SO FREUNDLICH ZU MIR?
WAAA, HA, HA, HA.
VIELLEICHT HAB ICH EIN SCHLECHTES GEWISSEN.
HERRJE! ICH MUSS GEHEN!
ALSO DANN, MINORI-CHAN.
DAS NÄCHSTE MAL WERDE ICH DIR ALLES ÜBER MICH ERZÄHLEN. ♡
...
MEINE GÜTE!
DAS IST NICHT NÖTIG...

SAI IST ACHTZEHN, HALBJAPANER, EIN GENIE UND ERSTER SEKRETÄR DES PREMIERMINISTERS.
DAS... HÄTTE ICH WIRKLICH NICHT ERWARTET ...

UND...
... AUS IRGEND-EINEM GRUND HASST ER MICH.
... HMMM ...
ACH, WAS SOLL'S ...?!
DANN FRAGE ICH IHN EBEN ...
ETSUKO-SAN, WISSEN SIE, WO KANATA OKAZAKI IST?
ÄH, ICH GLAUBE, ER WOLL-TE IM EMPFANGS-ZIMMER EINIGE AKTEN DURCH-SEHEN.

OKAZAKI-
SA...
ガチャ

WAH... ER SCHLÄFT.
NA LOGISCH!
DER JOB EINES PREMIER-MINISTER IST WOHL ANSTREN-GEND.
ICH SOLLTE IHN LIEBER NICHT WE-CKEN...
HMMM... ER LÄSST SOLCHE GEHEIMEN DOKUMENTE EINFACH OFFEN HERUM-LIEGEN?
GEHEIM
WAS MACH ICH JETZT ...?
HMMM?

DA LIEGT WAS AUF DEM BODEN...
ひょい
SEIN PARLAMENTSAUSWEIS ...
UNGLAUBLICH...!
HM?
EIN FOTO?

WENN DER KLEINE JUNGE KANATA OKAZAKI IST...
... DANN MÜSSTEN DIE ZWEI ERWACHSENEN SEINE ELTERN SEIN.
ABER... DAFÜR WIRKEN SIE EIGENTLICH EIN BISSCHEN ZU ALT...
19XX, in der Residenz des Ministerpräsidenten
HÄ...?
MINORI...
はっ
TU... TUT MIR LEID!
ÄH... DAS LAG AUF DEM BODEN UND ICH BIN ZU-FÄLLIG...
わたわた
UFF... ER HAT NUR IM SCHLAF GEREDET ...
PUUUH ...!

AH!
DIESE LANGEN WIMPERN ...
DAS IST DAS ERSTE MAL, DASS ICH IHN SCHLAFEN SEHE...
IRGENDWIE INTERESSANT.
GENAU GENOMMEN WEISS ICH PRAKTISCH NICHTS ÜBER IHN...
WIESO SIND WIR ZWEI ÜBERHAUPT MITEINANDER VERLOBT ...?
HMMM ...
„WIE-SO? NA, WEIL..."

„WEIL ICH DICH LIEBE."
„DAS LIEGT DOCH AUF DER HAND."
I-ICH IDIOT!
かぁ〜ッ
WIESO ERINNERE ICH MICH AUSGERECHNET DARAN?
DAS WAR DOCH SOWIESO GELOGEN ...
„DER PREMIERMINISTER MUSS DICH WIRKLICH SEHR LIEBEN, MINORI-CHAN..."
だらだら
だらだら
ぽんっ。

...
WENN ICH...
... MATSU-MOTO-SAN DAS NÄCHSTE MAL TREFFE ...
... SOLLTE ICH IHN ETWAS ÜBER OKAZAKI-SAN AUSFRAGEN.
KANATA-SAAAN!

KANATA-SAAAN! WO STECKST DU DENN?!
DAS IST... SAIS STIMME !!
HERRJE! ER KOMMT HIERHER ...
おろおろ
は
KANATA-SAN!

ER IST AN SEINEM SCHREIBTISCH EINGESCHLA-FEN...
カッ カッ
...
ICH IDIOT! ES GIBT KEINEN GRUND, SICH ZU VERSTE-CKEN!
こそっ…
ABER DIESER TYP IST MIR NICHT GEHEUER ...
KANATA-SAN...

!!
HÄ?
HÄÄÄÄÄÄÄÄÄÄÄÄÄÄÄÄ?!
HA
WER IST DA ...?!
WAS, ZUM TEUFEL, MACHST DU HIER ...?
S-SIE HABEN ...

SIE HABEN... IHN...
VIEL-LEICHT IST DAS DER GRUND ...!
...
JA, ICH HABE IHN GEKÜSST!! WAS DAGE-GEN?!
ICH... LIEBE KANATA-SAN!!
WAAAS ...?!

ACT
6
SEIKIMATSU★PRIME MINISTER

„ICH... LIEBE KANATA-SAN!!"
...

SIE ...
... LIEBEN IHN...?
はっ
MIST!!

WAS SOLL DAS HEISSEN ...?
MN...
はっ
HEY! WARTEN SIE...!
JA... WAS IST LOS?
...
NANU? MINORI?
MO... MOMENT MAL...!!

DER KERL HEGT VERBOTENE GEFÜHLE FÜR KANATA OKAZAKI ...?!
...

VER-DAMMT ...!
AUSGE-RECHNET SIE ÜBER-RASCHT MICH DABEI, WIE ICH IHN KÜSSE ...!!

WAS NUN ...?
...
BESTIMMT...
... WIRD SIE IHM ALLES ERZÄHLEN.
HEY!
GUTEN MORGEN, MINORI.
ICH KOMME, UM DICH ZU FRISIEREN.

NANU?
LEER

MINORI ...?
OH, HERR PREMIER-MINISTER! MINORI-CHAN IST SCHON WEG. SIE HAT PUTZDIENST ODER SO.

WAS?! WIESO HAT SIE MIR DAS GESTERN NICHT GESAGT?!
...
WANK
ICH BIN EXTRA FRÜHER AUFGESTANDEN, UM IHR DIE HAARE ZU MACHEN...
BRUMMEL BRUMMEL

KANATA-SAN!
AH, SAI! DU KOMMST GERADE RICHTIG.
DARF ICH DIR DIE HAARE MACHEN ...?

SAI...?
KANATA-SAN...
ICH...
... KANN NICHT LÄNGER HIERBLEIBEN.

?
RED KEINEN UN...
!

HE...
HEY!
MOMENT MAL!!
WAS SOLL DENN DAS?
WIR SIND HIER DOCH NICHT IN AMERI...
... KA ...

LEB WOHL ...!

HEY...
HERR PREMIER-MINISTER! WAS MACHEN SIE DENN HIER?
ひょい
はっ
SAI ...?!
WAS SOLL DAS HEISSEN... „LEB WOHL" ?!
HERR PREMIER-MINISTER ...!?

HUAAAH...
WARUM GÄHNST DU SO, MAKITA.
UM DIE ZEIT...
ES IST JEDEN TAG DASSELBE! ALLES IST FRIEDLICH UND WIR DREHEN DÄUMCHEN ...
HM?
WAS IST DA LOS?
?!

HÄ?
DAS WAR DOCH... SAI?
HEEEEEEEY!!
WARTE, SAI!!
UND KANATA ...?!
RYOICHI! IN WELCHE RICHTUNG IST ER GERANNT?
HÄ? NACH DRAUSSEN, WIESO...?!
OKAY!!
HEY! MOMENT MAL!!
?!

WAS FÄLLT DIR EIN, MICH FESTZUHALTEN ?!
IN DEM AUFZUG KANN ICH DICH NICHT VOR DIE TÜR LASSEN!!
SAG MAL, SPINNST DU?!
WIESO NICHT ?!
EIN PREMIER-MINISTER, DER IM PYJAMA DRAUSSEN RUMLÄUFT... WO GIBT'S DENN SO WAS?!

HIER BEI UNS!
KLIPP UND KLAR
DAS GEHT NICHT!
SPIEL DICH NICHT SO AUF!!
ICH WERDE SAI FÜR DICH VERFOLGEN! DU RÜHRST DICH NICHT VON DER STELLE!!

GEH MIR AUS DEM WEG! DER KERL HÖRT DOCH NUR AUF MICH!!

MEIN JOB IST ES, DICH ZU BESCHÜTZEN!!
UND ICH WERDE DICH NICHT ALLEIN NACH DRAUSSEN GEHEN LASSEN!!
おろおろ
...
OKAY ...
DANN EBEN MIT GEWALT!!
!!

MIST-
KERL
...!
DAH!
ICH
MACH DIC
FERTIG
!!
EIN
PREMIER-
MINISTER, DER
SEINEN LEIB-
WÄCHTER NIE-
DERSCHLÄGT...
WO GIBT'S
DENN SO
WAS?!
VER-
DAMMT!
WAH
...
HIER...! DAS
SAGTE ICH
BEREITS!!
ICH KANN
DICH WEGEN
BEHINDERUNG
DER POLIZEI
FESTNEHMEN!

VERSUCH'S DOCH!!
NICHT ZU FASSEN ...!
DU HÄLTST MICH ANSCHEINEND FÜR EINEN KOMPLETTEN VERSAGER!

!?
SO, DAS WAR'S!!
AUAAAAAAA!!

SCHON VERGESSEN, DASS DU FRÜHER GEGEN MICH AUCH IMMER DEN KÜRZEREN GEZOGEN HAST?
WENN DU MICH SCHLAGEN WILLST, MUSST DU FRÜHER ♫ AUFSTEHEN.
HE, HE, HE...
ICH KÜMMERE MICH UM SAI, DU BLEIBST SCHÖN HIER!!
GRMPF!
EIN SICHERHEITSBEAMTER, DER SEINEN SCHÜTZLING VERLETZT... WO GIBT'S DENN SO WAS?!
JA, JA, SCHON GUT. LASS MICH LOS!
DU TUST MIR WEH!!
PAH ...!
...

UWAH! VERDAMMT!
WENN DAS SO WEITERGEHT, KOMME ICH ZU SPÄT.
DER CHEF WIRD MICH LYNCHEN...
ぱっ
!!
SAI ...!!

UWAH!
WA...
WAS SOLL DAS ...?
NANU ...!?

!!
UH ...
DAS IST DOCH ...
... SAI?!

WA... WAS IST PASSIERT ?!
...
オロ
オロ
BUWAAAH!
HÄ?
WA... WAS SOLL DAS?!
HÖR SOFORT MIT DEM GEFLENNE AUF!!
WAS SOLLEN DIE LEUTE DENKEN ?!

GUTEN MORGEN ...
GUTEN MORGEN ...
HAAAH ...
ICH HAB DIE GANZE NACHT KEIN AUGE ZUGETAN...

HEUTE MORGEN BIN ICH UNTER EINEM VORWAND FRÜHER AUS DEM HAUS...
ICH WOLLTE SAI UNTER KEINEN UMSTÄNDEN BEGEGNEN.
„ICH... LIEBE KANATA-SAN!!“
...

WENIGSTENS WEISS ICH JETZT, WIESO ER MICH SO HASST.
WEIL ICH KANATA OKAZAKIS (VORLÄUFIGE) VERLOBTE BIN.
HM?
ABER MOMENT MAL...!

KANATA OKAZAKI HAT MICH PRAKTISCH GEZWUNGEN, IN DIE RESIDENZ ZU ZIEHEN.
UND SAI HAT IHM BEI DER AUSFÜHRUNG SEINES PLANES GEHOLFEN.
KYAAAAH!
WOW! WIE BIST DU DA RANGEKOMMEN?
WIESO HASST ER MICH DANN?!
むかむか~ッ
ER LÄSST SEINE GANZE WUT AN MIR AUS...
KYAAAAH!
KYAAAAH!
KANN ICH DAS BEHALTEN?
NIX DA! DAS WAR IRRE TEUER
VERDAMMT ...!

Bei dem Geschrei kann man sich doch nicht konzentrieren!
Ihr dummen Gänse!!
Sieh mal, was ich hier habe, Minori-chan! ♡
Hier! ♡
Ein Foto von Premierminister Okazaki und seinem ersten Sekretär ♡
はッ!!
Diese Doppelporträts sind im Moment der absolute Renner ♡
HUUUUCH?!
Ich weiss, du bist die Verlobte des Premierministers, aber sind die beiden nicht ein hübsches Paar? ♡

IN LETZTER ZEIT SIEHT MAN DIE ZWEI HÄUFIG AUF FOTOS. ♡
STIMMT. UND DAS, OBWOHL SIE POLITIKER SIND. HA, HA, HA... ♡
IRGENDWANN ERSCHEINT EIN BILDBAND. ♡
KYAH! KYAH!
HÖRT AUF DAMIT...! ICH FINDE DAS ÜBERHAUPT NICHT WITZIG ...
HA
OBWOHL ...
WENN ICH EIN PAAR FOTOS VON DEN BEIDEN MACHE, KÖNNTE ICH SIE TEUER VERKAUFEN.
GESCHÄFTSSINN
NEIN, NEIN, NEIN!
ICH AHNTE NICHT ...

... DASS DIE BEIDEN SCHON BALD IN EINE SEHR UNANGENEHME LAGE GERATEN WÜRDEN.
JA...
SO IST ES. TUT MIR LEID.
Matsumoto

ICH WAR BEREITS AUF DEM WEG, ABER DANN WURDE MIR SPEIÜBEL...
ALSO BIN ICH ZU EINEM ARZT GEGANGEN.
JA.
ALSO DANN, AUF WIEDER-HÖREN!
OH MANN!
HAST DU DICH INZWISCHEN ETWAS BERUHIGT?
...
HERRJE ...!

Als er nicht aufhörte zu heulen ...
... sind wir in ein Taxi gestiegen und zu mir gefahren.
Wie soll es jetzt weitergehen ...?
Was ist denn nun passiert?
Wie...
Was?
Wieso sollte ich dir das erzählen, du Idiot ?!

Vielleicht, weil ich wegen dir blaumache, du Idiot?!
Buwääääh!!
Sorry, tut mir Leid!
Hör auf zu flennen ...!
Wenn du mir nichts erzählen willst, lässt du es eben bleiben.
Ich werde Kanata anrufen und ihm sagen, wo du steckst.
N-nein, warte! Bitte ruf Kanata nicht an!
Aber er macht sich doch bestimmt schon Sorgen ...
Wenn du ihn anrufst, beiss ich mir auf die Zunge und verblute!
うわ～ん
Oh Mann! Nicht schon wieder ...!
Hör mit dem Geflenne auf!
Der benimmt sich wie ein Baby ...
Was nun ...?
So kenne ich ihn überhaupt nicht ...

OH MANN...! DA HAB ICH MIR WAS SCHÖNES AUFGEHALST ...
ALSO GUT.
WENN DU AUFHÖRST ZU HEULEN, RUFE ICH IHN NICHT AN!
VERRÄTST DU MIR, WAS DU JETZT VORHAST.
DU KANNST DOCH NIRGENDS HIN.
ICH WERDE BEI DIR BLEIBEN.
GYAAAH!
SA... SAI... ICH WEISS NICHT, WAS PASSIERT IST, ABER DU MUSST DICH BERUHIGEN ...
ICH GEHE NICHT ZURÜCK

DU GEHST NICHT ZURÜCK ...?
MO... MOMENT MAL... !
WENN DER ERSTE SEKRETÄR DES PREMIER-MINISTERS KÜNDIGT...
... WAS SOLL DANN AUS DER REGIERUNG OKAZAKI WERDEN?
PREMIER-MINISTER OKAZAKI!!
WO, UM ALLES IN DER WELT, STECKT IHR ERSTER SEKRETÄR?
...
WAS IST MIT DEM MANUSKRIPT, DAS ICH IHM GESTERN ZUR PRÜFUNG GEGEBEN HABE...?
UND WO IST IHR TERMIN-PLAN...?!
ICH WAR VON ANFANG AN DAGEGEN, EINEM 18-JÄHRIGEN SO EINEN POSTEN AN-ZUVERTRAUEN.
DER HAT KEIN PFLICHT-GEFÜHL ...

ばんッ
...
HERR... PREMIER-MINISTER ...
SCHLUSS JETZT!
SAI WIRD ZURÜCK-KOMMEN!!
PRIME MINISTER – BAND 1 – ENDE

COMICSTRIPTHEATER ZUR JAHRHUNDERTWENDE

KANATA OKAZAKI (25
MIT 25 IST ER FÜR EINEN SHOJO-MANGA FAST ZU ALT... ♡

„PRIME MINISTER" UND MEIN JÜNGERER BRUDER (1)

DIE ERSTE FOLGE VON „PRIME MINISTER" WAR GERADE ERSCHIENEN.
DIE ERSTEN SEITEN WAREN IN FARBE! ♥
PRIME MINISTER
ICH ZEIGTE SIE MEINEM KLEINEN BRUDER (OGO).
HIER, DAS IST MEINE NEUE SERIE! ♡
SINGT IN EINER BAND UND IST NOCH GRÜN HINTER DEN OHREN.
AHA ...
IN DER ROLLE DER EIKI: EIN SCHWARZER HASE. ♥
WINGS
WOW! WAHNSINN!!
HÄ? WAS DENN, WAS DENN?
DAS IST EINE HOMO-STORY !!
DAS IST EIN SHOJO-MANGA!!
...
MEHR HAST DU NICHT ZU SAGEN ...?

VIELE LESER HABEN ETWAS ÄHNLICHES GESCHRIEBEN...

„PRIME MINISTER" UND MEINE MAMI
MAT-SUMOTO-SAN IST DAS TRIEFAUGE UNTER MEINEN CHARAS.
SORRY!
ALS MEINE MUTTER MATSUMOTO ENTDECKTE, SAGTE SIE:
MUTTER BEIM LESEN VON „WINGS"
NICHT ZU FASSEN, EIKO...
MEIN ECHTER NAME
DOLLY
DU KANNST AUCH HÄSSLICHE MÄNNER ZEICHNEN!
♡
MA... MACH DIR NICHTS DRAUS, MATSUMOTO!!
DANK DEINES CHARAKTERS BIST DU BEI DEN LESERN SEHR BELIEBT!!
GIB DEIN BESTES!!
ICH BITTE DICH...
PFF...
...
ICH BIN, WIE ICH BIN...
FANS VON MATSUMOTO GESUCHT!!
??? MATSUMOTO (25)
SEINEN VORNAMEN WERDET IHR NOCH ERFAHREN, AUCH WENN ER IHN NICHT MAG. (KICHER)

„PRIME MINISTER" UND MEIN ASSISTENT U-CHAN
RYOCHI MAKITA (25)
DER EINZIGE, DER KANATA IM ZAUM HALTEN KANN. HAT EIN GROSSES GEHEIMNIS, DAS SCHON BALD ANS LICHT KOMMT.
MEIN ASSISTENT JUN UZUKI-KUN IST EIN NETTER JUNGE.
ALLE MEINE ASSISTENTEN SIND NETT.
SORRY, DASS ICH DICH IMMER NUR HINTERGRÜNDE ZEICHNEN LASSE.
DARAUS KANN MAN AUCH LERNEN.
ER HAT BEREITS EINE EIGENE SERIE.
SEHT IHR?
ABER ...
KÖNNTEST DU DIE RESIDENZ ZEICHNEN?
OKAY.
KÖNNTEST DU DAS BÜRO DES PREMIER-MINISTERS ZEICHNEN?
UND NOCH MAL DIE RESI-DENZ.
OKAY...
INZWISCHEN KANN ICH DAS IM SCHLAF ZEICHNEN. DARAUS LERN ICH NICHTS MEHR...
PFF ...
MIST! ER HAT'S GE-MERKT !!
ER KÖNNTE EINEN MANGA ZEICHNEN, DER IN DER RESIDENZ SPIELT.
WAS SOLL DAS FÜR EIN MANGA SEIN...?

IST NOCH GEHEIM.
??? SAI (18)
OBWOHL ICH ES VON ANFANG AN GEPLANT HATTE, WAR ICH ÜBERRASCHT, ALS ER SO AUSGERASTET IST. SEITDEM IST ER NOCH BELIEBTER...
„PRIME MINISTER" UND PAPI
EINES TAGES SPRACH ICH MIT MEINEM VATER ÜBER „PRIME MINISTER".
DER ERSTE SEKRETÄR DES PREMIERMINISTERS IST ACHTZEHN JAHRE ALT.
AHA, WOW ...!
HM?
MOMENT MAL!
UND WENN DIESER ERSTE SEKRETÄR ETWAS ANSTELLT ...
DOLLY LIEBT PAPI UND TEE.
... DANN GILT DAS JUGENDSTRAFGESETZ?
Erster Sekretär von Premier Okazaki unter Verdacht!!
...
KEINE AHNUNG ...
ICH BIN KEIN VERBRECHER!
ICH WÜRDE NIE ETWAS BÖSES TUN!
HÖRT, HÖRT!
WEITER GEHT'S IN BAND 2... HOFFE ICH.

GUTEN TAG ALLERSEITS!! ICH BIN EIKI EIKI!! UND „PRIME MINISTER 1" IST MEIN DRITTES TASCHENBUCH... VIELEN DANK, DASS IHR ES GELESEN HABT! ♡ LOVE♡

ALSO: „PRIME MINISTER" IST MEINE ERSTE LÄNGERE SERIE, DARUM HÖRT SICH „BAND 1" FÜR MICH GANZ TOLL AN. DENN DAS IMPLIZIERT, DASS NOCH EINIGE BÄNDE FOLGEN WERDEN!! (IST EIGENTLICH LOGISCH, ABER WAS SOLL'S?!) AUSSERDEM UNTERSCHEIDET SIE SICH VON MEINEN BISHERIGEN MANGAS DADURCH, DASS ES DIESMAL NICHT HAUPTSÄCHLICH UM SCHWULE GEHT!! DOCH, DOCH, ES KOMMEN SCHON SCHWULE DRIN VOR, ABER DIE SPIELEN EBEN NICHT DIE HAUPTROLLE... FÜR MICH PERSÖNLICH MACHT ES EIGENTLICH KEINEN GROSSEN UNTERSCHIED, OB ES UM SCHWULE GEHT ODER NICHT, WEIL ICH IMMER DAS ZEICHNE, WAS ICH ZEICHNEN MÖCHTE. (DESHALB MACHE ICH AUCH KEINEN UNTERSCHIED, OB ICH FÜR DAS MAGAZIN „WINGS" ODER FÜR DAS MAGAZIN „DEAR +" ZEICHNE... WAS EIGENTLICH NICHT GEHT.) ABER FÜR EUCH ALS LESER MACHT ES BESTIMMT EINEN UNTERSCHIED, ODER?! DARUM IST MIR EIN BISSCHEN BANGE, DASS DIE LESER, DIE MEINE BISHERIGEN MANGAS GEKAUFT HABEN, DIESES HIER VIELLEICHT NICHT LESEN WOLLEN. ALSO BITTE, KAUFT ES TROTZDEM, OKAY?! (AN DIESER STELLE IST DIESE BITTE NATÜRLICH REICHLICH NUTZLOS. AUSSERDEM HABE ICH DIESMAL AUCH DAS GENRE GEWECHSELT, DENN HIER GEHT ES GANZ OFFENSICHTLICH UM „POLITIK"!! (GROSSES GELÄCHTER) NA JA, SAGEN WIR SO: ES IST EINE „POLITISCHE LIEBESGESCHICHTE". ICH HOFFE NUR, DASS AUCH DIE JÜNGEREN LESER DER STORY FOLGEN KÖNNEN. ABER LETZTEN ENDES IST ES DOCH EIN GANZ NORMALER SHOJO-MANGA. UND WENN IHR BAND 1 GELESEN HABT, HABT IHR SICHER FESTGESTELLT, DASS ES DARIN KAUM UM POLITIK GEHT... AB BAND 2 KOMMT DIESES ELEMENT ETWAS STÄRKER ZUM TRAGEN. ABER ICH WERDE MIR MÜHE GEBEN, ES INTERESSANT ZU VERPACKEN. ALSO BLEIBT DABEI, OKAY?! BITTE! ANDERERSEITS SOLLTET IHR AN DEN STELLEN, AN DENEN ES UM POLITIK GEHT, NICHT ALLZU TIEF NACHSCHÜRFEN, DA SIE HÖCHSTWAHRSCHEINLICH ZIEMLICH FRAGWÜRDIG SIND... ÄHEM... (SO GEHT DAS ABER NICHT!)
ALS ICH DIE SERIE ANFING, DACHTE ICH: EINE STORY UM EINEN 25-JÄHRIGEN PREMIERMINISTER IST BESTIMMT INTERESSANT! AN DIE PROBLEME, DIE DAS AUFWERFEN KÖNNTE, HATTE ICH NICHT GEDACHT. DARUM HATTE ICH IM VERLAUF DER SERIE GANZ SCHÖN ZU KÄMPFEN! (FLENN) IHR GLAUBT GAR NICHT, WIE OFT ICH IN MEINEN ROHENTWÜRFEN STECKEN GEBLIEBEN BIN, DIE BILDER AN DIE STORY ANPASSEN UND LEERE SEITEN FÜR DAS MAGAZIN NACHTRÄGLICH FÜLLEN MUSSTE! SO EIN LANGER MANGA (SO LANG IST ER EIGENTLICH GAR NICHT; ICH SCHÄTZE MAL, ES WERDEN INSGESAMT SO ZWEI BIS DREI BÄNDE) HAT EBEN AUCH SEINE TÜCKEN, DAS KANN ICH EUCH SAGEN. IRGENDWANN WEISS MAN GAR NICHT MEHR, WELCHE EPISODE MAN WO EINFÜGEN SOLL, UND ES KOMMT SOGAR VOR, DASS MAN VÖLLIG DEN FADEN VERLIERT UND GAR NICHT MEHR WEISS, WAS MAN EIGENTLICH ZEICHNEN WOLLTE. ES IST UNGEFÄHR SO, ALS HABE MAN BISHER IMMER PUZZLES MIT 200 TEILEN GEMACHT UND SÄSSE NUN PLÖTZLICH VOR EINEM PUZZLE MIT 2000 TEILEN. SELBST WENN MAN DAS PUZZLE MIT 200 TEILEN LOCKER AN EINEM ABEND GESCHAFFT HAT, BEISST MAN SICH BEI DEM PUZZLE MIT 2000 DIE ZÄHNE AUS! DAHER FÜRCHTE ICH, DASS ES IN DIESEM MANGA JEDE MENGE UNGEREIMTHEITEN GIBT, UND HOFFE, IHR BEHALTET IM HINTERKOPF, DASS ICH MICH ZUM ERSTEN MAL AN SO EIN GROSSES WERK WAGE. ÜBT NACHSICHT! DENN IRGENDWANN WERDE ICH DIESES PUZZLE MIT 2000 TEILEN FERTIG BEKOMMEN, VERLASST EUCH DRAUF!!

WEITER GEHT'S AUF DER NÄCHSTEN SEITE. -)

IRGENDWANN WÜRDE ICH GERN EINE SONDERAUSGABE ÜBER DIESE ZEIT ZEICHNEN.
KANATA HAT EINE ELITE-SCHULE MIT MITTEL- UND OBER-STUFE BESUCHT.
HAT SICH NICHT VERÄNDERT.
AN SEINER SCHULE WAREN RYOICHI UND MATSUMOTO.

EIN ARZT NAMENS HARUHIKO...
HÄ?
I-ICH ERINNERE MICH NICHT MEHR AN FRÜHER.
HIRO-FUMI!!
?

UND DIE DRILLINGE, DIE IN IHREN JÜNGEREN BRUDER VERNARRT SIND...
SHI-GERU!
PFOTEN WEG!

OB SIE IN DIESEM MANGA AUCH AUF-TRETEN?
WER MIT DIESEM COMICSTRIP NICHTS ANFANGEN KANN, SOLLTE EINEN BLICK IN DIE MANGAS „DEAR MYSELF" UND „KISS" WERFEN.
運命に
WO BIN ICH?

SO EIN NACHWORT ZU BAND 1 IST GANZ SCHÖN SCHWIERIG. WAS KANN MAN DA SCHON SCHREIBEN? MAN DARF JA NICHTS VERRATEN! UND DA ICH GERN SO DIES UND DAS AUFDECKEN WÜRDE, IST DAS BESONDERS HART. ICH BIN EBEN EIN PLAPPERMAUL... ÜBRIGENS, KANATA HAT IN SEINER VERGANGENHEIT... ÄH... NEIN, HALT DIE KLAPPE, EIKI! ALSO BITTE GEDULDET EUCH BIS BAND 2!
WAS DIE BILDER ANGEHT, LIEGEN MIR GESICHTER VON CHARAS WIE HIROFUMI AUS „DEAR MYSELF" AM MEISTEN. DESHALB GINGEN MIR DIE CHARAS DIESES MANGAS, BEI DENEN DIE AUGEN ZIEMLICH WEIT OBEN LIEGEN, ANFANGS EHER SCHWER VON DER HAND. MITTLERWEILE HABE ICH MICH DARAN GEWÖHNT UND IN LETZTER ZEIT STELLE ICH SOGAR FEST, DASS MINORIS GESICHT IMMER ERWACHSENERE ZÜGE ANNIMMT!!
(WIE FURCHTBAR!)
SO, JETZT IST ES AN DER ZEIT, MICH BEI EUCH FÜR ALL EURE BRIEFE ZU BEDANKEN! ZUM ANTWORTEN BIN ICH LEIDER NOCH NICHT GEKOMMEN (SCHNIEF), ICH HATTE EINFACH NOCH KEINE ZEIT, DIE GEPLANTEN CHARA-POSTKARTEN ZU ZEICHNEN. ALSO BITTE GEDULDET EUCH NOCH EIN BISSCHEN! AUCH WENN ICH SIE NOCH NICHT BEANTWORTET HABE, EURE BRIEFE SIND ALLE GUT ANGEKOMMEN. ICH LESE SIE MEHRFACH, WEINE VOR RÜHRUNG UND FREUE MICH IMMER SEHR DARÜBER!! OHNE DIESES FEEDBACK VERLIERE ICH NÄMLICH GANZ SCHNELL DIE MOTIVATION... DESHALB IST ES FÜR MICH SEHR WICHTIG, EUCH AUF EVENTS ZU TREFFEN UND EURE BRIEFE ZU BEKOMMEN, UND ICH BITTE EUCH AN DIESER STELLE NOCH MAL: SCHREIBT MIR, EGAL WAS!
DENN ICH WARTE SEHNSÜCHTIG AUF EURE GEDANKEN UND KOMMENTARE.

ABSCHLIESSEND NOCHMALS EIN HERZLICHES DANKESCHÖN, DASS IHR „PRIME MINISTER 1" GELESEN HABT!! BIS BALD!! NICHT WAHR?! ♡

AUGUST 1998, EIKI EIKI
P.S.: „PRIME MINISTER" HEISST ÜBRIGENS „PREMIERMINISTER".

WERBUNG
AUF DER LINKEN SEITE MÖCHTE ICH EUCH MEINE BEIDEN LETZTEN WERKE ANS HERZ LEGEN...
... UND MICH BEI ALLEN LESERN BEDANKEN.
ALS NÄCHSTES WIRD „COLOR" (FARBE) ERSCHEINEN. WÄRE SCHÖN, WENN IHR MAL REINSCHAUT!!
ES KOMMT IM FEBRUAR 1999 RAUS*.
UND DANACH KOMMT WAHRSCHEINLICH BAND 2 VON „PRIME MINISTER".
BITTE HABT GEDULD!
ICH ALS MENSCH

* BEI EMA ERSCHIENEN.

„Prime Minister“ von Eiki EIKI
Aus dem Japanischen von Claudia Peter
Originaltitel: „Seikimatsu Prime Minister“ Vol. 1

verlegt durch EGMONT Verlagsgesellschaften mbH,
Gertrudenstraße 30-36, 50667 Köln

1. Auflage
Verantwortlicher Redakteur: Wolf Stegmaier
Redaktion: Frank Neubauer und Etsche Hoffmann-Mahler
Lettering: Funky Kraut Productions
Gestaltung: Claudia V. Villhauer
Koordination: Nadin Kreisel
Buchherstellung: Sandra Pennewitz
Druck und Verarbeitung: Clausen & Bosse, Leck
ISBN 978-3-7704-6674-0

www.manganet.de

SUTOPPU!

Koko wa kono manga no
Hantaigawa kara
ne! Dewa
ashita! „Prime
hajimari!

Manga Chiimu

STOPP!

Das ist der Schluss des Mangas. Fangt bitte am anderen Ende an! Doch nun genug der Vorrede, jetzt geht's los mit Prime Minister!

Euer Manga Team